# N4合格！
## 日本語能力試験問題集
The Workbook for the Japanese Language Proficiency Test

# N4 聴解
## スピードマスター

Quick Mastery of N4 Listening
N4 听解 快速掌握
N4 청해 스피드 마스터
Nắm Vững Nhanh Nghe hiểu N4

有田聡子・黒江理恵・高橋尚子・黒岩しづ可 共著

Jリサーチ出版

# はじめに

　日本語能力試験は2010年に改定され、「コミュニケーションを重視」した試験になりました。その意味で、会話が中心となる聴解の問題は、最もコミュニケーション力が問われるものです。場面や状況を理解し、相手の言葉だけでなく、その言い方にも注意を向けなければなりません。もちろん、語彙や文法の知識も必要ですが、覚えたつもりなのに、実際の会話で聞き取れなかったり、意味がわからなかったりするかもしれません。そうならないように、聴解のトレーニングはとても有効です。

　本書でたくさんの問題を解きながら、知識を確かなものにしましょう。また、日本語の話し言葉の特徴や、ほかの言語と違う点も、少しずつつかんでいきましょう。

　Ｎ４は、日常的な場面で「日本語を使ったコミュニケーション」がどんどんできるようになる段階です。実践力を高めていきましょう。

　本書を使った学習を通して、皆さんが日本語能力試験Ｎ４に合格すること、また本書が皆さんの日本語力の向上に役立つことを願っています。

著者一同

　The Japanese-Language Proficiency Test was revised in 2010, and is now a test with a focus on communication. In this sense, no questions test one's communication skills more than the exam's conversation-focused listening questions. In addition to understanding the place and situation of the question as well as what is being said, one must also pay attention to how it is being said. This of course requires knowledge of vocabulary and grammar, but you may still have trouble understanding what is being said or what is meant in a real conversation. One extremely effective way to prevent this from happening is to train your listening abilities.

　As you answer the many questions in this book, your knowledge will be solidified. You will also be able to learn a bit about what makes conversational Japanese unique, as well as how it is different from other languages.

　The N4 level is one where you quickly become more able to communicate in everyday settings using Japanese. Work to improve your practical skills.

　We hope that you are able to use what you learn through this book to pass the N4 level of the Japanese-Language Proficiency Test, and that this book helps improve your Japanese language abilities.

The Authors

# Preface／前言／머리글／Lời mở đầu

　　日语能力测试于 2010 年改为「着重于语言交流」的考试。因此以会话为中心的听力问题是最能判断出你的语言交流能力。理解其场面及状态，不仅要听懂对方的话，还要注意对方的说法。当然词汇和语法也是必需的，但也可能有虽然以为记住了却没能听懂或不明白其意思的时候。为了不出现这种情况，加强听力的训练是非常有效的。

　　本书通过大量地做听力练习从而将所学知识牢牢掌握。同时还要逐渐抓住日语口语的特点以及与其他语言的不同之处。

　　N4 是日常生活中不断能「使用日语进行交流」的阶段，从而提高实际会话能力。

　　祝愿各位通过使用本书能通过日语能力测试 N5，同时也希望本书对各位日语能力的提高能有所帮助。

======

　　일본어 능력시험은 2010 년에 개정되어「커뮤니케이션을 중시」하는 시험문제로 바뀌었습니다. 무엇보다 회화를 중심으로 출제되는 청취문제는 가장 커뮤니케이션 능력을 묻는 것이라 할 수 있습니다. 장면이나 상황을 이해하고 상대의 말 만이 아니라 그 말투에 주의를 하지 않으면 안됩니다. 물론 어휘나 문법 지식도 필요하지만 외웠는데 실제 회화에서 알아듣지 못하거나 의미를 모르거나 할 수도 있습니다. 그렇게 되지 않는 데에는 청해의 연습이 아주 효과가 있습니다.

　　본 책에서 많은 문제를 풀며 지식을 확실히 자기 것으로 만듭시다. 또 일본어의 회화특징이나 다른 언어와 다른 점도 조금씩 파악해 갑시다.

　　N4 는 일상적인 장면에서「일본어를 사용한 커뮤니케이션」을 점점 할 수 있는 단계입니다. 실전력을 높여갑시다.

　　본 책을 사용해 여러분이 일본어 능력시험 N4 에 합격하기를 또 본 책이 여러분의 일본어 능력 향상에 도움이 되기를 바라 마지 않습니다.

저자일동

　　Năm 2010, kỳ thi Năng lực tiếng Nhật được cải tiến, trở thành kỳ thi "chú trọng giao tiếp". Với ý nghĩa đó, các bài thi nghe với trọng tâm là các đoạn hội thoại đòi hỏi năng lực giao tiếp nhiều nhất. Sau khi hiểu được tình huống, hoàn cảnh, người nghe không những phải chú ý đến từ ngữ đối phương sử dụng mà còn phải chú ý cả cách nói. Kiến thức về từ vựng, ngữ pháp đương nhiên là cần thiết nhưng có những từ mình tưởng là đã biết nhưng khi hội thoại thực tế lại không nghe được hoặc không hiểu nghĩa. Việc luyện nghe hiểu chính là để không xảy ra tình trạng này.

　　Các bạn hãy cùng cố vững chắc kiến thức của mình thông qua việc giải các bài tập nghe trong cuốn sách này. Bên cạnh đó, hãy từng bước nắm được đặc điểm của văn nói trong tiếng Nhật và điểm khác biệt của tiếng Nhật với các ngôn ngữ khác.

　　N4 là giai đoạn dần dần có thể "Giao tiếp bằng tiếng Nhật" qua các tình huống đời thường.

　　Rất mong cuốn sách này sẽ giúp các bạn đỗ được kỳ thi Năng lực tiếng Nhật N4 và giúp các bạn nâng cao được trình độ tiếng Nhật của mình.

Nhóm tác giả

# もくじ

Table of contents ／目录／목차／Mục lục

- **はじめに** ················································ 2
  Preface ／前言／머리글／Lời mở đầu

- **日本語能力試験と聴解問題** ··············· 6
  にほんごのうりょくしけん　　ちょうかいもんだい
  The Japanese-Language Proficiency Test and Listening Questions ／日语能力测试与听解问题／
  일본어 능력시험과 청취문제／Kỳ thi năng lực tiếng Nhật và các bài thi nghe

- **この本の使い方** ································· 8
  ほん　つか　かた
  How to Use This Book　／使用指南／이 책의 사용법／Cách sử dụng cuốn sách

- **ウォーミングアップ** ···························· 10
  Warming Up　／试前准备／위밍업／Khởi động

## PART 1　実戦練習 ················ 17
じっせんれんしゅう
Sample Practice　／实战练习／실전연습／Thực hành

- **日本語能力試験「聴解」問題のポイント** …18
  にほんごのうりょくしけん　　ちょうかい　もんだい
  Points Regarding Listening Questions on the Japanese-Language Proficiency Test ／日语能力测试「听解」问题的要点
  ／일보일본어 능력시험「청해」문제의 포인트／Các điểm lưu ý khi làm bài "nghe hiểu" kỳ thi năng lực tiếng Nhật

- **問題1（課題理解）** …20
  もんだい　かだいりかい
  Questions 1 (Task-based comprehension) ／问题1（问题理解）／문제 1 (과제이해) ／Bài số 1 (Hiểu vấn đề)

- **問題2（ポイント理解）** …26
  もんだい　　　　　　りかい
  Questions 2 (Comprehension of key points) ／问题2（重点理解）／문제 2 (포인트 이해) ／Bài số 2 (Hiểu ý chính)

- **問題3（発話表現）** …30
  もんだい　はつわひょうげん
  Questions 3 (Verbal expressions) ／问题3（语言表达）／문제 3 (발화표현) ／Bài số 3 (Biểu hiện trong hội thoại)

- **問題4（即時応答）** …34
  もんだい　そくじおうとう
  Questions 4 (Quick response) ／问题4（即时应答）／문제 4 (즉시응답) ／Bài số 4 (Trả lời nhanh)

- **解答用紙（見本）** ·································· 36
  かいとうようし　みほん
  Answer Sheet (Sample) ／解答用纸（样本）／해답용지 (견본) ／ Giấy làm bài (mẫu)

**PART 2** 模擬試験・・・・・・・・・・・・・・・・・・・・・・・・・・・・ 37
Mock Exams ／模拟测试／모의시험／Thi thử

模擬試験 第1回 …38
Mock Exam #1 ／模拟测试 1 ／모의시험 제 1 회／Thi thử Lần 1

模擬試験 第2回 …52
Mock Exam #2 ／模拟测试 2 ／모의시험 제 2 회／Thi thử Lần 2

解答用紙（実戦練習・模擬試験）・・・・・・・・・・・・・・・・・・・・・・ 66
Answer Sheet (Sample Practice / Mock Exams) ／解答用纸（实战练习・模拟测试）／
해답용지（실전연습・모의시험） ／Giấy làm bài (Thực hành – Thi thử)

◆〈付録〉試験に出る言葉・・・・・・・・・・・・・・・・・・・・・・・・・・・ 68
〈Appendix〉Words that Appear On the Test ／〈附录〉考试常出现的词语／
〈부록〉시험에 자주 출제되는 단어 ／〈Phụ lục〉Các từ hay xuất hiện trong đề thi

## [別冊] スクリプトと答え

[Appendix] Scripts and Answers ／[分册] 問題原文与答案／
[별책] 스크립트와 답／[Phụ bản] Bản gốc bài nghe và đáp án

# 日本語能力試験と聴解問題

The Japanese-Language Proficiency Test and Listening Questions／日語能力測試与听解問題／
일본어 능력시험과 청취문제／Kỳ thi năng lực tiếng Nhật và các bài thi nghe

- 目的：日本語を母語としない人を対象に、日本語能力を測定し、認定すること。
  ※ 課題遂行のための言語コミュニケーション能力を測ることを重視。
- 試験日：年2回（7月、12月の初旬の日曜日）
- レベル：N5（最もやさしい）→N1（最もむずかしい）
  N1：幅広い場面で使われる日本語を理解することができる。
  N2：日常的な場面で使われる日本語の理解に加え、より幅広い場面で使われる日本語をある程度理解することができる。
  N3：日常的な場面で使われる日本語をある程度理解することができる。
  N4：基本的な日本語を理解することができる。
  N5：基本的な日本語をある程度理解することができる。

| レベル | 試験科目 | 時間 | 得点区分 | 得点の範囲 |
| --- | --- | --- | --- | --- |
| N1 | 言語知識（文字・語彙・文法） | 110分 | 言語知識（文字・語彙・文法） | 0～60点 |
|  | 読解 |  | 読解 | 0～60点 |
|  | 聴解 | 55分 | 聴解 | 0～60点 |
| N2 | 言語知識（文字・語彙・文法） | 105分 | 言語知識（文字・語彙・文法） | 0～60点 |
|  | 読解 |  | 読解 | 0～60点 |
|  | 聴解 | 50分 | 聴解 | 0～60点 |
| N3 | 言語知識（文字・語彙） | 30分 | 言語知識（文字・語彙・文法） | 0～60点 |
|  | 言語知識（文法）・読解 | 70分 | 読解 | 0～60点 |
|  | 聴解 | 40分 | 聴解 | 0～60点 |
| N4 | 言語知識（文字・語彙） | 25分 | 言語知識（文字・語彙・文法） | 0～120点 |
|  | 言語知識（文法）・読解 | 55分 | 読解 |  |
|  | 聴解 | 35分 | 聴解 | 0～60点 |
| N5 | 言語知識（文字・語彙） | 20分 | 言語知識（文字・語彙・文法） | 0～120点 |
|  | 言語知識（文法）・読解 | 40分 | 読解 |  |
|  | 聴解 | 30分 | 聴解 | 0～60点 |

※ N1・N2の科目は2科目、N3・N4・N5は3科目

- 認定の目安：「読む」「聞く」という言語行動でN5からN1まで表している。
- 合格・不合格：「総合得点」と各得点区分の「基準点（少なくとも、これ以上が必要という得点）」で判定する。

☞ くわしくは、日本語能力試験のホームページ〈https//www.jlpt/〉を参照してください。

## N4のレベル　　以前の3級とだいたい同じレベル

| | N4のレベル |
|---|---|
| 読む | ● 基本的な語彙や漢字を使って書かれた日常生活の中でも身近な話題の文章を、読んで理解することができる。 |
| 聞く | ● 日常的な場面で、ややゆっくりと話される会話であれば、内容がほぼ理解できる。 |

## 聴解の問題構成

| | 大問 | | 小問数 | ねらい |
|---|---|---|---|---|
| 聴解 | 1 | 課題理解 ◇ | 7 | まとまりのあるテキストを聞いて、内容が理解できるかどうかを問う（具体的な課題解決に必要な情報を聞き取り、次に何をするのが適当か理解できるかを問う） |
| | 2 | ポイント理解 ◇ | 6 | まとまりのあるテキストを聞いて、内容が理解できるかどうかを問う（事前に示されている聞くべきことをふまえ、ポイントを絞って聞くことができるかを問う） |
| | 3 | 発話表現 ◆ | 5 | イラストを見ながら、状況説明を聞いて、適切な発話が選択できるかを問う |
| | 4 | 即時応答 ◆ | 6 | 質問などの短い発話を聞いて、適切な応答が選択できるかを問う |

◇ 以前の試験の問題形式を使っているが、部分的に形式を変えているもの。
◆ 以前の試験では出題されていなかった、新しい問題形式のもの。
※ 小問の数は変わる場合もあります。

# この本の 使い方

How to Use This Book ／使用指南／
이 책의 사용법／ Cách sử dụng cuốn sách

この 本は、次の 3つの ステップで 学習していきます。
This book contains three steps you can use to learn from.
本书分以下三个步骤学习。
이 책은 다음 3단계로 학습을 해 갑니다.
Cuốn sách này được dùng theo 3 bước sau:

## ウォーミングアップ
Warming Up ／试前准备／워밍업／ Khởi động

聴解問題に 慣れながら、ポイントを 確認
します。
※ 実際の 試験より 易しい 内容です。

Get used to listening questions while making sure you understand important points.
※ These questions are easier than actual test questions.
在熟练听解问题的同时抓住重点。
※ 比实际考试内容要简单。
청취문제에 익숙해져 가면서 중요한 포인트를 확인합니다.
※실제 시험보다 쉬운 내용입니다.
Làm quen với các bài thi nghe và xác nhận các ý chính.
*Nội dung dễ hơn đề thi thật.

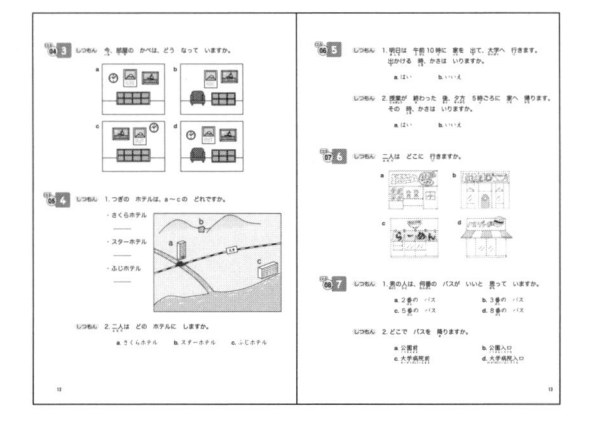

## PART 1 実戦練習
Sample Practice ／实战练习／실전연습／ Thực hành

日本語能力試験N4の 4つの 問題形式
(課題理解・ポイント理解・発話表現・
即時応答) ごとに、練習を します。

Practice questions separated by all four question formats that appear on the N4 level of the Japanese-Language Proficiency Test (Task-based comprehension, Comprehension of key points, Verbal expressions, Quick response).
针对日语能力测试N4 的四个问题形式 (问题理解、重点理解、语言表达、即时应答) 分别进行练习。
일본어 능력시험 N4에서 출제되는 4개의 문제형식 (과제이해・포인트이해・발화표현・즉시응답) 마다 연습을 합니다.
Luyện theo 4 dạng bài thi nghe của kỳ thi Năng lực tiếng Nhật N4 (Hiểu vấn đề - Hiểu ý chính – Biểu hiện trong hội thoại – Trả lời nhanh)

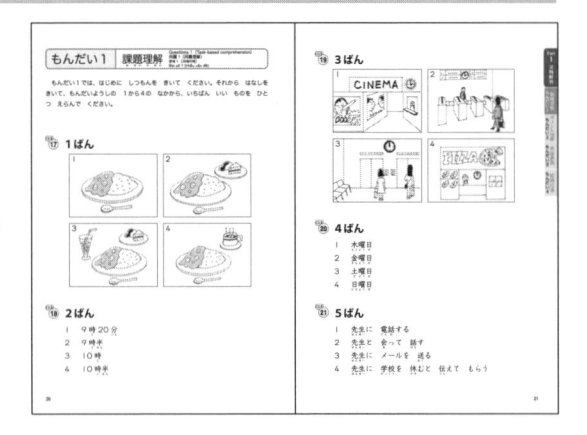

## PART 2　模擬試験（2回）
Mock Exams (2)／模拟考试（2次）／모의시험 (2 회)／Thi thử (2 lần)

仕上げとして、模擬試験に 2回チャレンジします。実力と 課題点を 確認します。
To finish, challenge yourself with two mock exams to test your abilities and discover what you need to work on.
作为最后总结，进行 2 次模拟考试，以此确认一下自己的实力及存在的问题。
마지막 단계로 모의시험을 2 회 풉니다．현재의 실력과 앞으로의 과제를 확인합니다．
Kết thúc sẽ là phần thử sức với 2 lần thi thử. Mục đích là để kiểm tra thực lực và các mặt còn hạn chế.

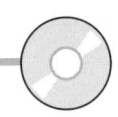

## 付属 CD の内容
What's on the attached CD
附属 CD 的内容
부속 CD 의 내용
Nội dung CD kèm theo

**【DISC 1】**

▶ ウォーミングアップ　Warming Up／试前准备／워밍업／Khởi động

▶ PART1 実戦練習　Sample Practice／实战练习／실전연습／Phần 2 Thực hành

**【DISC 2】**

PART2 模擬試験　Mock Exams／模擬試験／모의시험／Phần 2 Thi thử

▶ 第1回　#1／第 1 回／제 1 회／Lần 1

▶ 第2回　#2／第 2 回／제 2 회／Lần 2

# ウォーミングアップ

Warming Up ／试前准备／워밍업／Khởi động

試験と 同じ ような 問題で 練習する 前に、少し 準備の ための 練習を しましょう。知って いる ことばを よく 聞き取って、大事な ところに 注意 しましょう。

Let's begin with some preparatory questions before practicing with questions that are the same as ones you'll see on the test. Listen closely for words you know and the important parts of what is being said.

在做与考试相同问题前，先做好试前练习。听懂知道的词语，注意抓住要点。

시험과 같은 문제로 연습을 하기 전에 조금 준비를 위한 연습을 합시다. 알고 있는 말을 잘 듣고 중요한 곳을 주의해 들읍시다.

Hãy luyện tập để chuẩn bị trước khi bắt đầu làm các bài thi giống bài thi thực tế. Hãy lắng nghe những từ đã biết và chú ý đến các điểm quan trọng.

## 練習 Practice 练习 연습 Luyện tập

まず、しつもんを 読んで ください。それから、話を 聞いて、正しい 答え を 一つ えらんでください。絵を 見て 答える 問題と、絵の ない 問題 が あります。

※このれんしゅうでは、時間は 決めて いません。わからない ときは、もう 一度 聞いても いいです。

Begin by reading the question. Then listen to what is being said and choose the correct answer. The answers to some questions involve pictures, while others do not.
※ This practice is not timed. You can listen to the questions another time if you don't understand them.

先看题再听，从中选择一个正确的答案。有的问题带插图，有的问题没有插图。
※在做这样的练习过程中没有时间限制，不明白的时候可以再听一遍。

우선 질문을 읽으세요. 그리고 말을 듣고 바른 답을 하나 고르세요. 그림을 보고 답하는 문제와 그림이 없는 문제가 있습니다.
※이 연습에서는 시간은 정해져 있지 않습니다. 잘 모를 때에는 다시 한번 들어도 좋습니다.

Trước tiên hãy đọc câu hỏi. Sau đó nghe câu chuyện và chọn một câu trả lời đúng. Có những đề bài có tranh, cũng có những đề bài không có tranh.
※ Phần luyện tập này không đặt thời gian tiêu chuẩn. Khi chưa hiểu, bạn có thể nghe một lần nữa.

**CD1 02**

**1** しつもん　1. 左から 2番目の 人は 誰ですか。

　　a.「私」の 姉　　　　　　　b.「私」の 妹
　　c.「私」の 友だち　　　　　d.「私」の 兄の 友だち

しつもん 2. この時、妹が 行って いた 学校は どれですか。

　　　　a. 小学校　　　b. 中学校　　　c. 高校　　　d. 大学

## 03 2

しつもん 1. いつ 友だちが 来ますか。

　　　a. 今年の 春　　　　　　　　b. 今年の 夏
　　　c. 今年の 秋　　　　　　　　d. 今年の 冬

しつもん 2. 旅行は、どんな 計画ですか。

　　　a. 東京→大阪→京都→富士山
　　　b. 東京→京都→奈良→大阪
　　　c. 東京→京都→富士山
　　　d. 東京→京都→富士山→北海道

しつもん 3. 旅行で する ことは、いくつ ありますか。

　　　絵を 見る　　寺を 見る　　スキーを する　　山に 登る

　　　a. 1つ　　　b. 2つ　　　c. 3つ　　　d. 4つ

## 3 しつもん 今、部屋の かべは、どう なって いますか。

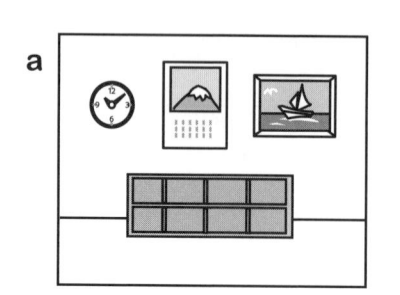

a   b   c   d

## 4 しつもん 1. つぎの ホテルは、a～c の どれですか。

・さくらホテル ____

・スターホテル ____

・ふじホテル ____

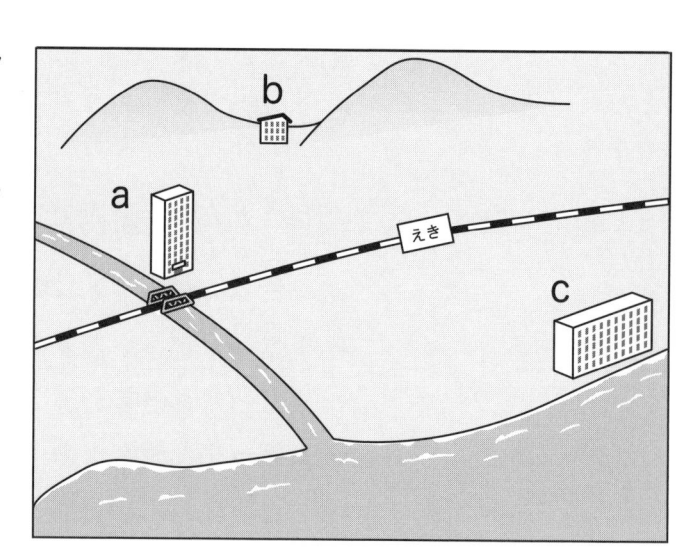

しつもん 2. 二人は どの ホテルに しますか。

a. さくらホテル　　b. スターホテル　　c. ふじホテル

## 5

**しつもん** 1. 明日は 午前10時に 家を 出て、大学へ 行きます。出かける 時、かさは いりますか。

    **a.** はい      **b.** いいえ

**しつもん** 2. 授業が 終わった 後、夕方 5時ごろに 家へ 帰ります。その 時、かさは いりますか。

    **a.** はい      **b.** いいえ

## 6

**しつもん** 二人は どこに 行きますか。

a. PIZZA      b. CURRY

c. らーめん      d. ハンバーガー

## 7

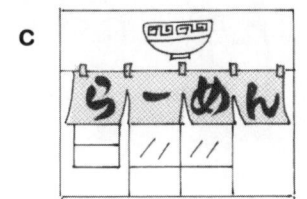

**しつもん** 1. 男の人は、何番の バスが いいと 思って いますか。

    **a.** 2番の バス      **b.** 3番の バス
    **c.** 5番の バス      **d.** 8番の バス

**しつもん** 2. どこで バスを 降りますか。

    **a.** 公園前      **b.** 公園入口
    **c.** 大学病院前      **d.** 大学病院入口

**8** しつもん　女の人は、どこで　手帳を　見つけましたか。

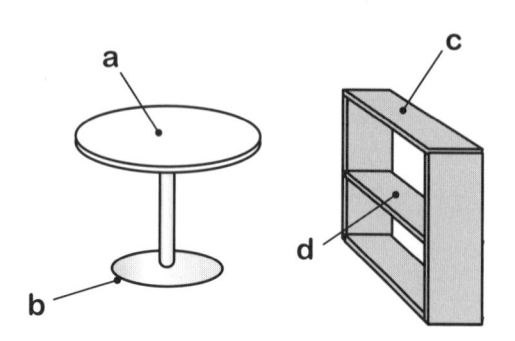

**9** しつもん　1. めがねを　かけて　いるのは、誰ですか。

　　　　　a. 青木さん　　b. 田中さん　　c. 山下さん

　　しつもん　2. 田中さんは　どの　人ですか。

**10** しつもん 1. つぎの 説明の うち、山田ホテルに 合うのは、いくつですか。

| 温泉が ある | 川の 近く | ホテル代が 5000円 |

a. 1つ　　　　b. 2つ　　　　c. 3つ

しつもん 2. 二人は どっちの ホテルに しますか。

a. 山田ホテル　　b. ふじ旅館

**11** しつもん 男の人は、どうして 明日の 約束を 変えて ほしいと 言って いますか。

a. 明日は アルバイトに 行く 日だったから。
b. 明日、アルバイトに 行く ことに なったから。

**12** しつもん 1. 国際センターまで、どっちが どれくらい 早いですか。

a. バスで 行く ほうが、電車で 行くより 5分くらい 早い。
b. 電車で 行く ほうが、バスで 行くより 5分くらい 早い。
c. バスで 行くのと 電車で 行くのと、ちょうど 同じくらい。

しつもん 2. 女の人は、どっちで 行きますか。

a. バス　　　　b. 電車

**13** しつもん　明日の　天気は　どれですか。

a　☂ → ⛄　　b　☁ → ☁☂

c　☁☂ → ⛄　　d　☁ → ☀

**14** しつもん　昨日の　夜、女の人は　何を　しましたか。

　　a. そうじ　　　　　　　　b. 洗たく
　　c. おどりの　練習　　　　d. がっきの　練習

# PART 1

## 実戦練習
じっせんれんしゅう

Sample Practice
实战练习
실전연습
Thực hành

# 日本語能力試験「聴解」問題の ポイント

Points Regarding Listening Questions on the Japanese-Language Proficiency Test ／日语能力测试「听解」问题的要点／
일본어일본어 능력시험 「청해」 문제의 포인트 ／ Các điểm lưu ý khi làm bài "nghe hiểu" kỳ thi năng lực tiếng Nhật

## もんだい1　課題理解 Task-based comprehension ／问题理解／과제이해） / Hiểu vấn đề

「課題を 解決する ために 次に 何を するべきか」を 理解する 力を 問う 問題です。

These questions test your ability to understand "What should be done next in order to solve an issue. ／这是测试「为了理解课题，下一步该怎么做？」的理解能力的问题。／「과제를 해결하기 위해서 다음에 무엇을 해야하는지」를 이해하는 힘을 묻는 문제입니다. ／ Phần này đòi hỏi khả năng hiểu "nhân vật trong đoạn nghe tiếp theo sẽ làm gì để giải quyết một vấn đề nào đó".

**問題を 解く カギ** ●最初の 質問を よく 聞いて、特に 誰の 行動に 注目すべきかを 確認します。
Keys to Solving Questions ／解題关键／문제를 푸는 열쇠／ Chìa khoá để làm bài
Listen closely to the initial question and be sure to pay attention to whose actions should be focused on. ／仔细听好开头的问题，特别是确认好是谁的行动。／처음의 질문을 잘 듣고 특히 누구의 행동에 주목을 해야 하는지를 확인합니다. ／ Hãy lắng nghe câu hỏi đầu tiên để nắm bắt nên chú ý đến hành động của ai.

**よく ある 質問** 「女の 人は、はじめに 何を しますか。」「男の 人は、今日、何を～ますか。」
Frequent Questions ／经常出现的提问／자주 묻는 질문／ Các câu hỏi thường gặp
「女の 学生は、どの～を …ますか。」

## もんだい2　ポイント理解 Comprehension of key points ／重点理解／포인트 이해／ Hiểu ý chính

「ポイントを しぼって 聞く ことが できるか どうか」を 問う 問題です。

These questions test your ability to see if you can listen to the most important parts of what is being spoken. ／这是测试「能否抓住要点」的问题。／「포인트를 잡아 들을 수 있는가」를 묻는 문제입니다. ／ Phần này đòi hỏi khả năng "có thể tập trung vào một cốt lõi khi nghe".

**問題を 解く カギ**
● 選択肢を 見て、どこが 違うか、ポイントを 確認しましょう。
Look at the choices and check how they are different from one another. ／看选择项目中什么地方不一样,抓住要点。／ 선택항을 보고 어디가 다른지 포인트를 확인합시다. ／ Hãy đọc các câu lựa chọn và xem sự khác nhau giữa chúng để nắm bắt cốt lõi.

● 最初の 質問を よく 聞いて、まず、何が 問われて いるかを 確認します
　── 「いつ・どこで・誰が・何を・どうして・何で」の どれか。

Listen carefully to the initial question and begin by checking what is being asked—"When / Where / Who / What / Why / How." ／仔细听好开头的提问，先确认好「什么时候／在哪儿／谁／干什么／为什么／用什么方法」中的哪个被提问。／처음 질문을 잘 듣고 우선 무엇을 묻고 있는지 확인합시다.──「언제・어디서・누가・무엇을・어떻게・무엇으로」의 어느 것인가를 파악합시다. ／ Hãy lắng nghe câu hỏi đầu tiên để xem đang được hỏi về điều gì -- một trong những "khi nào, ở đâu, ai, với cái gì, tại sao, bằng cái gì"

**よく ある 質問** 「男の 人は、どうして …ますか。」「二人は、どこで …ますか。」「女の 学生は、何で …ますか。」

---

⚠ 100パーセント 聞き取る 必要は ありません。質問に 沿って、大事な ところを しっかり 聞き取りましょう。

There is no need to fully understand 100% of what is being said. Follow alongside the question to listen closely to the most important part. ／没必要 100％都听懂。随着提问抓住重点听。／ 100 퍼센트 전부 알아 들을 필요는 없습니다. 질문에 따라 중요한 부분을 확실히 듣읍시다. ／ Bạn không cần nghe toàn bộ 100%. Dựa vào câu hỏi, hãy nghe những điểm quan trọng một cách cẩn thận.

⚠ 話の 流れを つかみましょう。変化する ところ（逆接・否定・注意など）を 聞き取るのが ポイントです。

Grasp the flow of conversation. It is important to listen to and understand parts that change this flow (contradictions, negations, warnings, etc.). ／抓住话题的主流，注意听有变化的地方（逆接・否定・注意等）／ 이야기의 흐름을 파악합시다. 변화하는 곳 (역접・부정・주의 등) 을 알아 듣는 것이 포인트입니다. ／ Hãy nắm bắt cốt truyện. Điểm cần lưu ý là những chỗ có sự thay đổi (chẳng hạn như tương phản, phủ định, chú ý).

①否定：否定した ことと、その あとで 言って いる ことに 注意しましょう。
　**れい** いいえ（いえ）、…。／あまり …ません／…でなくて、～。

Negations: Pay attention what is being negated and what is being said afterwards. ／否定:注意否定的事及后边说的话。／부정: 부정한 것과 그 다음에 말하는 것에 주의합시다. ／ Phủ định: Hãy chú ý rằng người nói đã phủ định điều gì và nói điều gì sau khi phủ định.

②逆接：逆接の 後に、大事な ことを 言う ことが 多いです。 例 でも、…。

Contradictions: Something important is often said after a negation. ／逆接：一般多在逆接后面说重要的事。／역접: 역접의 다음에 중요한 것을 말하는 경우가 많습니다. ／Tương phản: Người nói thường nói những điều quan trọng sau liên từ tương phản.

③注意：何かに 気づいて、注意や 補足を したり、条件を 付けたり する ことが あります。

例 あっ、…。／それから、…。／あと、…。／ちょっと 待って。…

Warnings: In many cases, you will need to pay attention to something, a warning or addition will be added to something, or a condition will be added to something. ／注意：察觉到什么时会有提起注意或补充、添加条件。／주의: 무언가를 인식하고 주의하거나 보충 설명을 하거나 조건을 붙이거나 하는 경우가 있습니다. ／Chú ý: Có khi người nói chú ý, bổ sung hoặc đặt điều kiện nào đó khi để ý đến điều gì đó.

## もんだい3　発話表現 Verbal expressions ／语言表达／발화표현／Biểu hiện trong hội thoại

「その 場面や 状況に 合った 表現が 言えるか どうか」を 問う 問題です。

These questions ask if you can produce an expression suitable for a specific situation. ／测试「能否用语言表达出复合那个场面及状态」的问题。首先用插图和声音表示场面・状况。／「그 장면의 상황에 맞는 표현을 말할 수 있는지 어떤지」를 묻는 문제입니다. ／Phần này đòi hỏi khả năng hiểu biết "những câu thích hợp với một trường hợp hoặc tình hình nào đó".

| 問題を解くカギ | ●日常生活の 決まり文句が 多いです。どんな 場面で 使うのか、確認して おきましょう。<br>These are often set phrases used in everyday conversation. Check what situations these are used in. ／日常生活的惯用句很多,事先确认好用在什么场合。／일상 생활 속에 정해진 문구가 많습니다. 어떤 장면에서 사용하는지 확인해 둡시다. ／Câu trả lời thường là cách nói cố định trong cuộc sống thường ngày. Hãy xem lại các câu được sử dụng trong trường hợp nào. |
|---|---|
| よくある質問 | 「…です（場面や 状況）。何と 言いますか。」／「…します。～に 何と 言いますか。」 |

## もんだい4　即時応答 Quick response ／即时应答／즉시응답／Trả lời nhanh

「相手の 言った ことに 対して、それに 合う 表現が すぐに 言えるか どうか」を 問う 問題です。

These questions ask if you can immediately reply to what someone says with an appropriate expression. ／测试「对对方说的话是否能马上说出于此相符合的表现」的问题。／「상대가 한 말에 대해 거기에 맞는 표현을 금방 말할 수 있는지 어떤지」를 묻는 문제입니다. ／Phần này đòi hỏi khả năng "có thể trả lời ngay lập tức đối với những lời nói của đối phương".

| 問題を解くカギ | ●相手が 何を 聞いて いるのか、どんな 答えを 待って いるのか、それを 正しく 理解するのがポイントです。自分が 質問して いる つもりで、答えを 選びましょう。<br>It is important in these questions to be able to correctly understand what is being said and what kind of answer is being anticipated. Choose the answer as if you were asking the question. ／正确理解对方在问什么，等待着什么样的回答是解题的关键。如同自己在提问的感觉，选择正确的答案。／상대가 무엇을 묻고 있는지 어떤 답을 기다리고 있는지 그것을 바르게 이해하는 것이 포인트입니다. 자기가 질문하고 있다는 생각으로 답을 고르십시오. ／Điều quan trọng sẽ là hiểu chính xác đối phương hỏi điều gì hoặc mong chờ câu trả lời như thế nào. Hãy tưởng tượng bản thân mình đang hỏi câu hỏi khi chọn câu trả lời. |
|---|---|
| よくある質問 | 「～は 何 ×× (何日・何曜日・何階)ですか。」／「何の～ですか」「何時に～ますか」／「～は どこですか」「いつ～ですか」「どうして～ますか」 |

❗ 考える 時間は あまり ありません。考えすぎて 次の 問題に 影響しないよう、気を つけましょう。

There is no time to think carefully about these questions. Be careful to not think so much about the question that it affects your performance on following questions. ／没时间考虑，注意不要过多地考虑而影响听下面的问题。／생각하는 문제는 별로 없습니다. 지나치게 생각하여 다음 문제에 영향을 주는 일이 없도록 주의하세요. ／Không có nhiều thời gian để suy nghĩ. Đừng suy nghĩ lâu quá để không ảnh hưởng đến những bài tiếp theo.

❗ 選択肢を 聞きながら、間違いの 選択肢に ×を つけると いいでしょう。

Crossing out incorrect questions while you are listening to the choices should be an effective strategy. ／最好是一边听选择事项一边在错误的选择处画上 ×。／선택항을 보고 들으면서 틀린 선택항에 ×를 하면 좋겠지요. ／Hãy vừa nghe các câu lựa chọn vừa đánh dấu × vào những câu không đúng.

# もんだい1　課題理解

　もんだい1では、はじめに　しつもんを　きいて　ください。それから　はなしを　きいて、もんだいようしの　1から4の　なかから、いちばん　いい　ものを　ひとつ　えらんで　ください。

## 1ばん

## 2ばん

1　9時20分
2　9時半
3　10時
4　10時半

## 3ばん

## 4ばん

1 木曜日
2 金曜日
3 土曜日
4 日曜日

## 5ばん

1 先生に 電話する
2 先生と 会って 話す
3 先生に メールを 送る
4 先生に 学校を 休むと 伝えて もらう

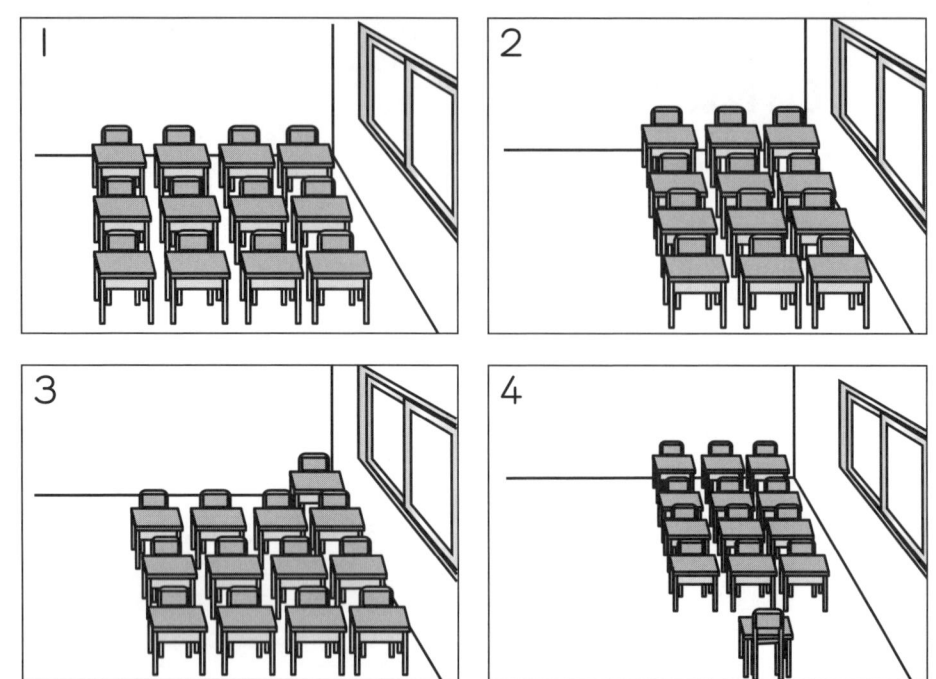

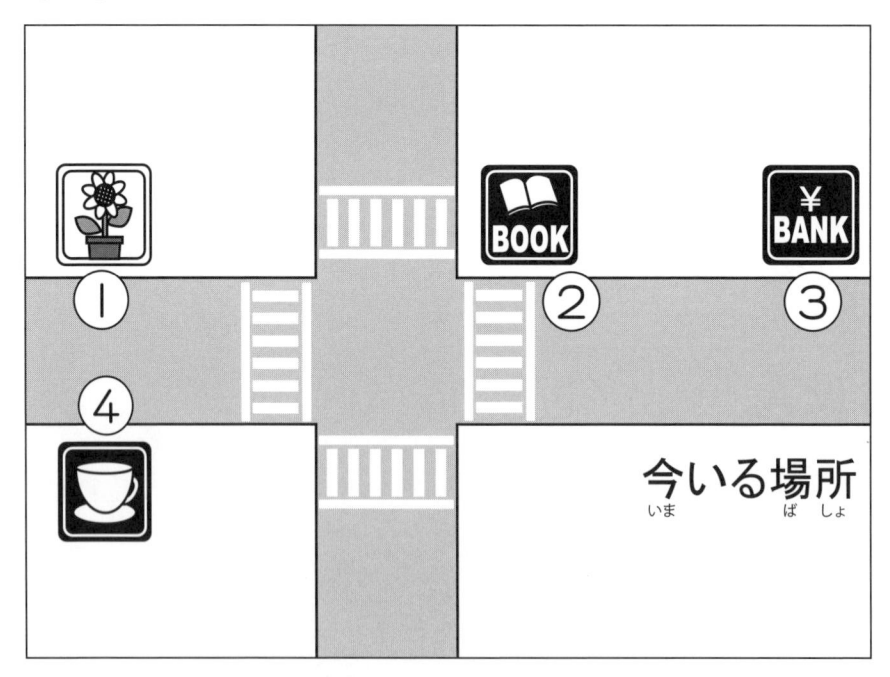

## 6ばん

## 7ばん

今いる場所

## 8ばん

1　電話を　する
2　仕事を　する
3　食事を　する
4　タクシーに　乗る

## 9ばん

1　花を　あげる
2　時計を　あげる
3　食事に　行く
4　旅行に　行く

## 10ばん

## 11ばん

1. 飲み物を 用意する
2. 部屋を 片づける
3. トイレを そうじする
4. コンビニに 行く

## 12ばん

1. うちに 帰る
2. 少し 寝る
3. 授業に 出る
4. テストの 勉強を する

## 13ばん

# 14 ばん

1　つくえを　ならべる
2　しりょうを　コピーする
3　飲(の)み物(もの)を　用意(ようい)する
4　かいぎを　する

# もんだい2 ポイント理解

Questions 2 (Comprehension of key points)
问题2（重点理解）
문제2（포인트 이해）
Bài số 2 (Hiểu ý chính)

もんだい2では、はじめに しつもんを きいて ください。それから はなしを きいて、もんだいようしの 1から4の なかから、いちばん いい ものを ひとつ えらんで ください。

## 🎧31 1ばん

1　来週の　金曜日までに　先生の　部屋に　行く
2　来週の　金曜日までに　メールで　知らせる
3　来週の　水曜日までに　先生の　部屋に　行く
4　来週の　水曜日までに　メールで　知らせる

## 🎧32 2ばん

1　男の人が　時間に　遅れたから。
2　コンビニが　2つ　あったから。
3　男の人が　約束の　場所を　間違えたから。
4　女の人が　約束の　場所を　間違えたから。

## 🎧33 3ばん

1　夜遅くまで　起きて　いたから。
2　朝早く　起きたから。
3　暑くて、なかなか　寝られなかったから。
4　うるさくて、よく　寝られなかったから。

## 4ばん

1 晴れて いる。
2 曇って いる。
3 雨が 少し 降って いる。
4 雨が すごく 降って いる。

## 5ばん

1 自転車が ライトをつけて いなかったから。
2 自動車が ライトを つけて いなかったから。
3 自転車が スピードを 出しすぎて いた から。
4 自転車が 交差点で 急に 曲がったから。

## 6ばん

1 日本人の 大学生の 友だち
2 一緒に いろいろな ことを する 友だち
3 日本語を 教えて くれる 友だち
4 いろいろな 国に 一緒に 行って くれる 友だち

## 7ばん

1 友だちが 時間に 遅れたから。
2 友だちが 本を 返して くれないから。
3 友だちが 謝らないから。
4 友だちが 本を 汚したから。

## 8ばん

1 本屋に 行く
2 家に 帰る
3 傘を 借りる
4 図書館に 行く

## 9ばん

1 テキストを 読む
2 聞く 練習を する
3 作文を 書く
4 漢字を 覚える

## 10ばん

1 ごはんを 食べないで 飲む
2 晩ごはんの あとに 飲む
3 薬だけで 飲む
4 牛乳と 一緒に 飲む

## 11ばん

1 会議の あと
2 今日の 2時
3 明日の 2時半
4 明日の 3時

## 12ばん

1　コンビニ
2　青いビル
3　コンビニの　横の　階段
4　一番　近い　階段

## 13ばん

1　今週の　火曜日
2　今週の　水曜日
3　今週の　木曜日
4　今週の　金曜日

## 14ばん

1　男の人が　薬を　飲まないから
2　男の人に、今の　薬が　合って　いないから
3　男の人が　働きすぎて　いるから
4　男の人が　あまり　寝ないから

| もんだい3 | 発話表現<br>はつ わ ひょうげん | Questions 3 (Verbal expressions)<br>问题 3（语言表达）<br>문제 3（발화표현）<br>Bài số 3 (Biểu hiện trong hội thoại) |

　もんだい3では、えを　みながら　しつもんを　きいて　ください。➡（やじるし）の　ひとは　なんと　いいますか。1から3の　なかから、いちばん　いい　ものを　ひとつ　えらんで　ください。

CD1 45　**1ばん**

CD1 46　**2ばん**

CD1 47 3ばん

CD1 48 4ばん

CD1 49 5ばん

**6ばん** 〔CD1 50〕

**7ばん** 〔CD1 51〕

**8ばん** 〔CD1 52〕

## 9ばん

## 10ばん

## 11ばん

# もんだい4　即時応答

Questions 4 (Quick response)
问题4（即时应答）
문제 4 （즉시응답）
Bài số 4 (Trả lời nhanh)

　もんだい4は、えなどが　ありません。ぶんを　きいて、1から3の　なかから、いちばん　いい　ものを　ひとつ　えらんで　ください。

🎧56〜🎧70　（1〜15ばん）

ーメモー

# Part 1 実戦練習

- 課題理解 もんだい1
- ポイント理解 もんだい2
- 発話表現 もんだい3
- 即時応答 もんだい4

# 解答用紙（見本）

Answer Sheet (Sample)
解答用纸（样本）
해답용지 (견본)
Giấy làm bài (mẫu)

## N4 ちょうかい

にほんごのうりょくしけん かいとうようし（本試験のみほん）

じゅけんばんごう
Examinee Registration Number

なまえ
Name

〈ちゅうい Notes〉

1. くろいえんぴつ(HB、No.2)でかいてください。
   (ペンやボールペンではかかないでください。)
   Use a black medium soft (HB or No.2) pencil.
   (Do not use any kind of pen.)
2. かきなおすときは、けしゴムできれいにけしてください。
   Erase any unintended marks completely.
3. きたなくしたり、おったりしないでください。
   Do not soil or bend this sheet.
4. マークれい Marking examples

| よいれい Correct Example | わるいれい Incorrect Examples |
|---|---|
| ● | ⊘ ◯ ◑ ◐ ⊖ ◌ |

### もんだい1

| | 1 | 2 | 3 | 4 |
|---|---|---|---|---|
| れい | ① | ② | ③ | ④ |
| 1 | ① | ② | ③ | ④ |
| 2 | ① | ② | ③ | ④ |
| 3 | ① | ② | ③ | ④ |
| 4 | ① | ② | ③ | ④ |
| 5 | ① | ② | ③ | ④ |
| 6 | ① | ② | ③ | ④ |
| 7 | ① | ② | ③ | ④ |
| 8 | ① | ② | ③ | ④ |

### もんだい2

| | 1 | 2 | 3 | 4 |
|---|---|---|---|---|
| 1 | ① | ② | ③ | ④ |
| 2 | ① | ② | ③ | ④ |
| 3 | ① | ② | ③ | ④ |
| 4 | ① | ② | ③ | ④ |
| 5 | ① | ② | ③ | ④ |
| 6 | ① | ② | ③ | ④ |
| 7 | ① | ② | ③ | ④ |

### もんだい3

| | 1 | 2 | 3 |
|---|---|---|---|
| れい | ① | ② | ③ |
| 1 | ① | ② | ③ |
| 2 | ① | ② | ③ |
| 3 | ① | ② | ③ |
| 4 | ① | ② | ③ |
| 5 | ① | ② | ③ |

### もんだい4

| | 1 | 2 | 3 |
|---|---|---|---|
| 1 | ① | ② | ③ |
| 2 | ① | ② | ③ |
| 3 | ① | ② | ③ |
| 4 | ① | ② | ③ |
| 5 | ① | ② | ③ |
| 6 | ① | ② | ③ |
| 7 | ① | ② | ③ |
| 8 | ① | ② | ③ |

# PART 2

## 模擬試験
もぎしけん

Mock Exams
模拟测试
모의시험
Thi thử

| 模擬試験　第1回 | tMock Exam #1<br>模拟测试 1<br>모의시험　제 1 회<br>Thi thử Lần 1 |

# もんだい1

　もんだい1では、まず　しつもんを　聞いて　ください。それから　話を　聞いて、もんだいようしの　1から4の　中から、いちばん　いい　ものを　一つ　えらんで　ください。

## 04 れい

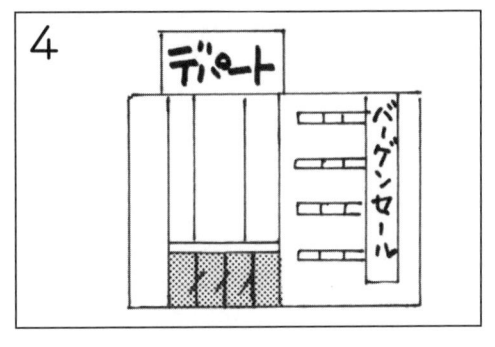

# 1ばん

# 2ばん

## 3ばん

1　12時に東口
2　1時に西口
3　2時に西口
4　2時に東口

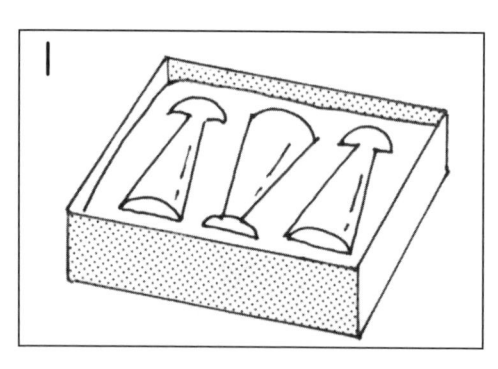

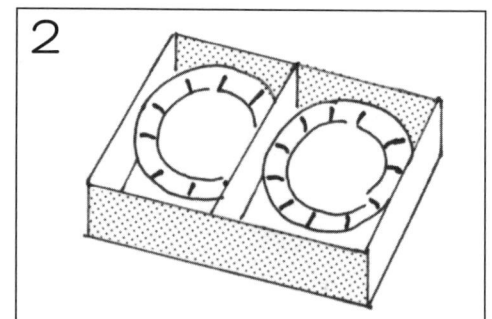

## 4ばん

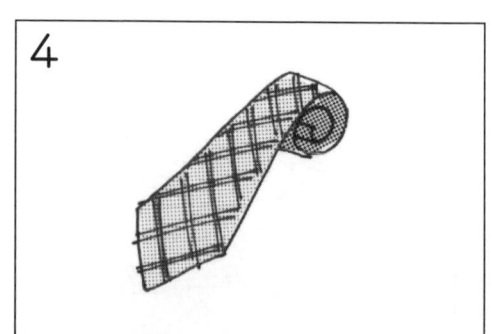

# 5ばん

1  2  3  4

# 6ばん

1  2  3  4

## 7ばん

1　靴を　買う
2　ギター教室に　通う
3　自転車を　買う
4　旅行を　する

## 8ばん

1　駅に　行く
2　ホテルに　戻る
3　絵を　見る
4　食事を　する

# もんだい2

　もんだい2では、まず しつもんを 聞いて ください。そのあと、もんだいようしを 見て ください。読む 時間が あります。それから 話を 聞いて、もんだいようしの 1から4の 中から、いちばん いい ものを 一つ えらんで ください。

## 🎧14 れい

1　2年間
2　3年間
3　6年間
4　8年間

## 🎧15 1ばん

1　花に きょうみが ないから
2　ぐあいが 悪く なるから
3　お酒が きらいだから
4　仕事が 忙しかったから

## 🎧CD2 16 2ばん

1 水曜日
2 木曜日
3 金曜日
4 土曜日

## 🎧CD2 17 3ばん

1 電車が 止まったから
2 バスが 来ないから
3 ねぼうしたから
4 忘れ物を したから

## 4ばん

1 よく　する
2 ときどき　する
3 ほとんど　しない
4 全然(ぜんぜん)　しない

## 5ばん

1 日本(にほん)の　アニメ
2 日本(にほん)の　えいが
3 日本(にほん)の　ドラマ
4 日本(にほん)の　ぶんがく

## 6ばん 〔CD2-20〕

1 4時半
2 5時
3 5時半
4 6時

## 7ばん 〔CD2-21〕

1 月曜日
2 水曜日
3 土曜日
4 日曜日

# もんだい3

もんだい3では、えを 見ながら しつもんを 聞いて ください。
➡(やじるし)の 人は 何と 言いますか。1から3の 中から、いちばん
いい ものを 一つ えらんで ください。

CD2-24 れい

🎧25 **1ばん**

🎧26 **2ばん**

# 3ばん

# 4ばん

## 5ばん

# もんだい4

　もんだい4では、えなどが ありません。まず ぶんを 聞いて ください。それから、そのへんじを 聞いて、1から3の 中から、いちばん いい ものを 一つ えらんで ください。

CD2 30 ～ CD2 39

ーメモー

# 模擬試験　第２回

the 2nd Mock examinations
第二次　模擬測試
모의시험　제2회
Thi thử Lần 2

# もんだい１

　もんだい１では、まず　しつもんを　聞いて　ください。それから　話を　聞いて、もんだいようしの　１から４の　中から、いちばん　いい　ものを　一つ　えらんで　ください。

## 🎧 CD2-42　れい

# 1ばん

# 2ばん

1 軽い けいたいでんわ
2 サイズが 大きい けいたいでんわ
3 いろいろ できる けいたいでんわ
4 写真が きれいに とれる けいたいでんわ

## 3ばん

1
2
3
4

## 4ばん

1
2
3
4

## 5ばん

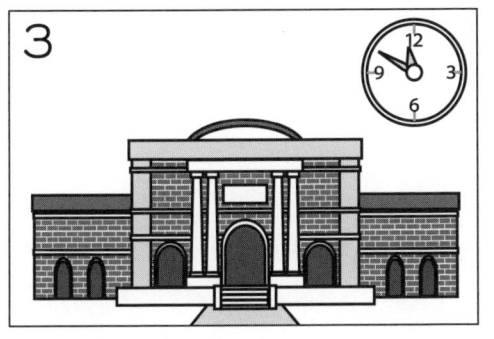

## 6ばん

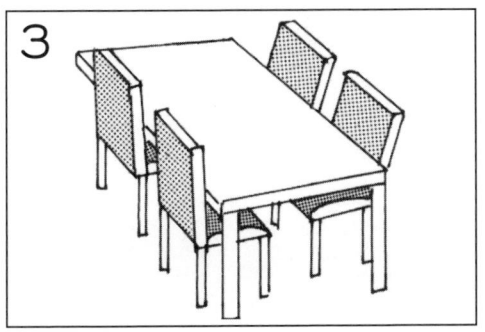

## 7ばん

1 自転車
2 タクシー
3 バス
4 電車

## 8ばん

1 火曜日と 木曜日
2 火曜日と 木曜日と 金曜日
3 火曜日と 木曜日と 金曜日と 土曜日
4 火曜日と 木曜日と 金曜日と 土曜日と 日曜日

# もんだい2

　もんだい2では、まず しつもんを 聞いて ください。そのあと、もんだいようしを 見て ください。読む 時間が あります。それから 話を 聞いて、もんだいようしの 1から4の 中から、いちばん いい ものを 一つ えらんで ください。

## れい

1　2年間
2　3年間
3　6年間
4　8年間

## 1ばん

1　10分後
2　20分後
3　30分後
4　50分後

## 2ばん

1　一人で
2　ジョンさんと
3　マリアさんと
4　ジョンさんと　マリアさんと

## 3ばん

1　機械で　探す
2　係の　人に　言う
3　ほかの　図書館に　行く
4　本屋で　買う

## 4ばん

1　30分
2　1時間
3　2時間
4　3時間

## 5ばん

1　レポートが 遅れるから
2　また 電話を かけるから
3　先生と 約束した 日を 変えたいから
4　先生が 忙しいのに 電話を かけたから

## 6ばん

1 医学
2 経済
3 日本の 文化
4 日本の 小説

## 7ばん

1 パソコンを 直して いた
2 レポートを 書いて いた
3 ベッドで 寝て いた
4 図書館で 勉強して いた

# もんだい３

もんだい３では、えを 見ながら しつもんを 聞いて ください。
➡(やじるし)の 人は 何と 言いますか。１から３の 中から、いちばん いい ものを 一つ えらんで ください。

## CD2 62 れい

## CD2 63 1ばん

## CD2 64 2ばん

## 3ばん

## 4ばん

# 5ばん

# もんだい 4

　もんだい4では、えなどが ありません。まず ぶんを 聞いて ください。それから、その へんじを 聞いて、1から3の 中から、いちばん いい ものを 一つ えらんで ください。

CD2 68 〜 CD2 77

ーメモー

# 解答用紙（実戦練習）

Answer Sheet (Sample Practice)
解答用纸（实战练习）
해답용지（실전연습）
Giấy làm bài (Thực hành - Thi thử)

| もんだい1 (課題理解) | | | | |
|---|---|---|---|---|
| 1 | ① | ② | ③ | ④ |
| 2 | ① | ② | ③ | ④ |
| 3 | ① | ② | ③ | ④ |
| 4 | ① | ② | ③ | ④ |
| 5 | ① | ② | ③ | ④ |
| 6 | ① | ② | ③ | ④ |
| 7 | ① | ② | ③ | ④ |
| 8 | ① | ② | ③ | ④ |
| 9 | ① | ② | ③ | ④ |
| 10 | ① | ② | ③ | ④ |
| 11 | ① | ② | ③ | ④ |
| 12 | ① | ② | ③ | ④ |
| 13 | ① | ② | ③ | ④ |
| 14 | ① | ② | ③ | ④ |

| もんだい2 (ポイント理解) | | | | |
|---|---|---|---|---|
| 1 | ① | ② | ③ | ④ |
| 2 | ① | ② | ③ | ④ |
| 3 | ① | ② | ③ | ④ |
| 4 | ① | ② | ③ | ④ |
| 5 | ① | ② | ③ | ④ |
| 6 | ① | ② | ③ | ④ |
| 7 | ① | ② | ③ | ④ |
| 8 | ① | ② | ③ | ④ |
| 9 | ① | ② | ③ | ④ |
| 10 | ① | ② | ③ | ④ |
| 11 | ① | ② | ③ | ④ |
| 12 | ① | ② | ③ | ④ |
| 13 | ① | ② | ③ | ④ |
| 14 | ① | ② | ③ | ④ |

| もんだい3 (発話表現) | | | |
|---|---|---|---|
| 1 | ① | ② | ③ |
| 2 | ① | ② | ③ |
| 3 | ① | ② | ③ |
| 4 | ① | ② | ③ |
| 5 | ① | ② | ③ |
| 6 | ① | ② | ③ |
| 7 | ① | ② | ③ |
| 8 | ① | ② | ③ |
| 9 | ① | ② | ③ |
| 10 | ① | ② | ③ |
| 11 | ① | ② | ③ |

| もんだい4 (即時応答) | | | |
|---|---|---|---|
| 1 | ① | ② | ③ |
| 2 | ① | ② | ③ |
| 3 | ① | ② | ③ |
| 4 | ① | ② | ③ |
| 5 | ① | ② | ③ |
| 6 | ① | ② | ③ |
| 7 | ① | ② | ③ |
| 8 | ① | ② | ③ |
| 9 | ① | ② | ③ |
| 10 | ① | ② | ③ |
| 11 | ① | ② | ③ |
| 12 | ① | ② | ③ |
| 13 | ① | ② | ③ |
| 14 | ① | ② | ③ |
| 15 | ① | ② | ③ |

# 解答用紙（模擬試験）

Answer Sheet (Mock Exams)
解答用纸（模拟测试）
해답용지（모의시험）
Giấy làm bài（Thi thử）

## 第1回

**もんだい 1**

| | | | | |
|---|---|---|---|---|
| れい | ① | ● | ③ | ④ |
| 1 | ① | ② | ③ | ④ |
| 2 | ① | ② | ③ | ④ |
| 3 | ① | ② | ③ | ④ |
| 4 | ① | ② | ③ | ④ |
| 5 | ① | ② | ③ | ④ |
| 6 | ① | ② | ③ | ④ |
| 7 | ① | ② | ③ | ④ |
| 8 | ① | ② | ③ | ④ |

**もんだい 2**

| | | | | |
|---|---|---|---|---|
| れい | ① | ● | ③ | ④ |
| 1 | ① | ② | ③ | ④ |
| 2 | ① | ② | ③ | ④ |
| 3 | ① | ② | ③ | ④ |
| 4 | ① | ② | ③ | ④ |
| 5 | ① | ② | ③ | ④ |
| 6 | ① | ② | ③ | ④ |
| 7 | ① | ② | ③ | ④ |

**もんだい 3**

| | | | |
|---|---|---|---|
| れい | ① | ② | ● |
| 1 | ① | ② | ③ |
| 2 | ① | ② | ③ |
| 3 | ① | ② | ③ |
| 4 | ① | ② | ③ |
| 5 | ① | ② | ③ |

**もんだい 4**

| | | | |
|---|---|---|---|
| れい | ① | ● | ③ |
| 1 | ① | ② | ③ |
| 2 | ① | ② | ③ |
| 3 | ① | ② | ③ |
| 4 | ① | ② | ③ |
| 5 | ① | ② | ③ |
| 6 | ① | ② | ③ |
| 7 | ① | ② | ③ |
| 8 | ① | ② | ③ |

## 第2回

**もんだい 1**

| | | | | |
|---|---|---|---|---|
| れい | ① | ● | ③ | ④ |
| 1 | ① | ② | ③ | ④ |
| 2 | ① | ② | ③ | ④ |
| 3 | ① | ② | ③ | ④ |
| 4 | ① | ② | ③ | ④ |
| 5 | ① | ② | ③ | ④ |
| 6 | ① | ② | ③ | ④ |
| 7 | ① | ② | ③ | ④ |
| 8 | ① | ② | ③ | ④ |

**もんだい 2**

| | | | | |
|---|---|---|---|---|
| れい | ① | ● | ③ | ④ |
| 1 | ① | ② | ③ | ④ |
| 2 | ① | ② | ③ | ④ |
| 3 | ① | ② | ③ | ④ |
| 4 | ① | ② | ③ | ④ |
| 5 | ① | ② | ③ | ④ |
| 6 | ① | ② | ③ | ④ |
| 7 | ① | ② | ③ | ④ |

**もんだい 3**

| | | | |
|---|---|---|---|
| れい | ① | ② | ● |
| 1 | ① | ② | ③ |
| 2 | ① | ② | ③ |
| 3 | ① | ② | ③ |
| 4 | ① | ② | ③ |
| 5 | ① | ② | ③ |

**もんだい 4**

| | | | |
|---|---|---|---|
| れい | ① | ● | ③ |
| 1 | ① | ② | ③ |
| 2 | ① | ② | ③ |
| 3 | ① | ② | ③ |
| 4 | ① | ② | ③ |
| 5 | ① | ② | ③ |
| 6 | ① | ② | ③ |
| 7 | ① | ② | ③ |
| 8 | ① | ② | ③ |

# 〈付録〉試験に出る言葉
（ふろく）　　（しけん）　（で）　（ことば）

〈Appendix〉Words that Appear On the Test ／〈附录〉考试常出现的词语／
〈부록〉시험에 자주 출제되는 단어　／〈Phụ lục〉Các từ hay xuất hiện trong đề thi

| | | | |
|---|---|---|---|
| ● 学校 (がっこう) | school ／学校／학교／ Trường học | ● 会社 (かいしゃ) | company ／公司／회사／ Công ty |
| ☐ 教室 (きょうしつ) | classroom ／教室／교실／ lớp học | ☐ 会議 (かいぎ) | meeting ／会议／회의／ cuộc họp |
| ☐ 遅刻 (ちこく) | late ／迟到／지각／ muộn giờ | ☐ 会議室 (かいぎしつ) | meeting room ／会议室／ 회의실／ phòng họp |
| ☐ 教科書 (きょうかしょ) | textbook ／教科书／교과서／ sách giáo khoa | ☐ 資料 (しりょう) | materials ／资料／자료／ tài liệu |
| ☐ 宿題 (しゅくだい) | homework ／作业／숙제／ bài tập | ☐ メモ | memo, notes ／笔记／메모／ ghi lại |
| ☐ 復習 (ふくしゅう) | review ／复习／복습／ ôn lại | ☐ 連絡 (れんらく) | message ／联系／연락／ liên lạc |
| ☐ 答え (こたえ) | answer ／答案／답／ câu trả lời | ☐ 部長 (ぶちょう) | division chief ／经理／부장／ trưởng phòng |
| ☐ レポート | report ／报告／리포트／ bài báo cáo | ☐ 課長 (かちょう) | section chief ／科长／과장／ tổ trưởng |
| ☐ スピーチ | speech ／演讲／스피치／ hùng biện | ☐ 社長 (しゃちょう) | president ／社长、总经理／사장／ giám đốc |
| ☐ 研究する (けんきゅう) | research ／研究／연구하다／ nghiên cứu | | |
| ☐ 研究室 (けんきゅうしつ) | laboratory ／研究室／연구실／ phòng nghiên cứu | ● 仕事 (しごと) | work ／工作／일／ Công việc |
| ☐ クラブ | club ／俱乐部／클럽／ câu lạc bộ | ☐ 用意する (ようい) | arrange ／准备、预备／ 준비하다／ chuẩn bị |
| ☐ 夏休み (なつやすみ) | summer break ／暑假／여름방학／ nghỉ hè | ☐ 準備する (じゅんび) | prepare ／准备／준비하다／ chuẩn bị |
| ☐ 先輩 (せんぱい) | senior ／高年级／선배／ tiền bối | ☐ 片づける (かた) | clean up ／收拾／정리하다／ dọn dẹp |
| ☐ 後輩 (こうはい) | junior ／低年级／후배／ hậu bối | ☐ 予約する (よやく) | reserve ／预定、预约／예약하다／ đặt trước |

| | | | | |
|---|---|---|---|---|
| □ 予定（よてい） | plan／预定／예정／dự định | | □ 台所（だいどころ） | roast, bake／厨房／부엌／bếp |
| □ 会場（かいじょう） | venue, grounds／会场／회장／hội trường | | ● 趣味・スポーツ（しゅみ） | hobbies, sports／兴趣・体育／취미・스포츠／Sở thích - Thể thao |
| □ 受付（うけつけ） | reception／接待处／접수／tiếp tân | | □ 踊る（おど） | dance／跳舞／춤추다／nhảy, múa |
| □ 集まる（あつ） | gather／集合、汇集／모이다／tập hợp lại | | □ ダンス | dance／舞／댄스／nhảy |
| □ 調べる（しら） | investigate／调查／조사하다／tra cứu | | □ アニメ | animation／动画／애니메이션／phim hoạt hình |
| □ 間に合う（まあ） | make in time／来得及／시간에 맞추다／kịp | | □ ゲーム | games／游戏／게임／trò chơi |
| ● 食べ物・飲み物（たものの もの） | food, drink／吃的、喝的／음식・음료수／Đồ ăn - Đồ uống | | □ マンガ | comics／漫画／만화／truyện tranh |
| □ お弁当（べんとう） | lunch box／便当／도시락／cơm hộp | | □ 柔道（じゅうどう） | judo／柔道／유도／nhu đạo |
| □ ランチ | lunch／午饭／런치／bữa trưa | | □ サッカー | soccer／足球／축구／đá bóng |
| □ デザート | dessert／甜点／디저트／món tráng miệng | | □ 試合（しあい） | match／比赛／시합／trận đấu |
| □ 注文する（ちゅうもん） | order／点菜、订货／주문하다／gọi món | | □ 勝つ（か） | win／赢／이기다／thắng |
| □ 店員（てんいん） | store employee／店员／점원／nhân viên cửa hàng | | □ 負ける（ま） | lose／输／지다／thua |
| □ おすすめ | recommendation／推荐／권하는 것／món đặc biệt | | □ チーム | team／小组／팀／đội |
| □ メニュー | menu／菜单／메뉴／thực đơn | | □ ボール | ball／球／공／quả bóng |
| □ 料理（りょうり） | food／料理、菜／요리／thức ăn | | □ 運動（うんどう） | exercise／运动／운동／vận động |
| □ 作る（つく） | make／做／만들다／nấu | | □ 山に登る（やまのぼ） | climb a mountain／登山／산에 오르다／leo núi |
| □ 焼く（や） | cook using heat／烧、烤／굽다／nướng | | □ 絵をかく（え） | draw a picture／画画儿／그림을 그리다／vẽ tranh |

| | | | |
|---|---|---|---|
| □ 美術館(びじゅつかん) | art gallery／美术馆／미술관／bảo tàng mỹ thuật | ● 病気・けが(びょうき) | sickness, injury／病・受伤／병・부상／Bệnh - Bị thương |
| □ チケット | ticket／票／티켓／vé | □ 熱(ねつ) | fever／发烧／열／sốt |
| □ 温泉(おんせん) | hot spring／温泉／온천／suối nước nóng | □ 痛い(いた) | hurt／疼／아프다／đau |
| □ 旅館(りょかん) | inn／旅馆／여관／nhà trọ truyền thống | □ 頭が痛い(あたま いた) | head hurts／头疼／머리가 아프다／đau đầu |
| □ お土産(みやげ) | souvenir／(旅行带回来的) 礼物／선물 (여행 등의)／quà kỷ niệm | □ けが | injury／受伤／부상／bị thương |
| □ ～に興味がある(きょうみ) | have an interest in ~／对~有兴趣／~에 흥미가 있다／hứng thú với ~ | □ かぜを引く(ひ) | catch a cold／感冒／감기에 걸리다／bị cảm |
| | | □ 治る(なお) | recover／治好／낫다／khỏi |
| ● 毎日の生活(まいにち せいかつ) | daily life／每天的生活／매일의 생활／Sinh hoạt hàng ngày | □ 入院する(にゅういん) | enter the hospital／住院／입원하다／nằm viện |
| □ エアコン | air conditioner／空调／에어컨／máy điều hòa | □ 退院する(たいいん) | discharged／出院／퇴원하다／xuất viện |
| □ 暖房(だんぼう) | heating／暖气／난방／lò sưởi | □ お見舞い(みま) | visiting the ill／看望病人／병문안／đi thăm bệnh |
| □ 冷房(れいぼう) | cooling／冷气／냉방／máy lạnh | □ 健康(けんこう) | health／健康／건강／sức khỏe |
| □ ビデオ | video／录像／비디오／video | | |
| □ 寝坊する(ねぼう) | oversleep／睡懒觉／늦잠을 자다／ngủ nướng | ● 天気(てんき) | weather／天气／날씨／Thời tiết |
| □ ごみを出す(だ) | take out trash／扔垃圾／쓰레기를 내놓다／đổ rác | □ 晴れ(は) | clear／晴／맑음／trời quang |
| □ 近所(きんじょ) | neighborhood／近处／근처／hàng xóm | □ くもり | cloudy／阴／흐림／trời nhiều mây |
| □ 引っ越し(ひ こ) | move／搬家／이사／chuyển nhà | □ 雪(ゆき) | snow／雪／눈／tuyết |
| □ バス停(てい) | bus stop／公共汽车站／버스정류장／trạm xe buýt | □ 雲(くも) | cloud／云／구름／mây |
| | | □ 風(かぜ) | wind／风／바람／gió |

| | | | |
|---|---|---|---|
| ☐ 台風（たいふう） | typhoon ／台风／태풍／bão | ☐ ～側（がわ） | ~ side ／～边儿／～측,～쪽／bên~ |
| ☐ やむ | stop ／停／그치다／tạnh | ☐ 北口（きたぐち） | north entrance ／北口／북쪽 출구／cửa Bắc |
| | | ☐ 別の（べつ） | separate ／别的／다른／~khác |
| ●気持ち（きも） | feelings ／心情／기분／Cảm xúc | ☐ まっすぐ行（い）く | go straight ／一直走／똑바로 가다／đi thẳng |
| ☐ うれしい | happy ／高兴／기쁘다／vui | ☐ パソコン | computer ／电脑／컴퓨터／máy tính |
| ☐ かなしい | sad ／悲伤／슬프다／buồn | ☐ インターネット | Internet ／因特网／인터넷／mạng internet |
| ☐ さびしい | lonely ／孤独／쓸쓸하다／buồn (không khí) | ☐ メール | e-mail, text message ／伊妹儿／메일／thư điện tử |
| ☐ こわい | scared ／害怕／무섭다／sợ | ☐ 携帯電話（けいたいでんわ） | mobile phone ／手机／휴대전화／điện thoại di động |
| ☐ たのしい | having fun ／愉快／즐겁다／vui (không khí) | ☐ スマホ | smartphone ／智能手机／스마트폰／điện thoại thông minh |
| ☐ 驚（おどろ）く | shocked ／吃惊,惊吓／놀라다／ngạc nhiên | ☐ 花見（はなみ） | flower viewing ／看樱花／꽃구경／ngắm hoa |
| ☐ びっくりする | surprised ／吃惊／놀라다／giật mình | | |
| ☐ 喜（よろこ）ぶ | delighted ／高兴／기뻐하다／vui vẻ | | |
| ☐ 残念（ざんねん）(な) | unfortunate ／遗憾／유감／đáng tiếc | | |

| | | | |
|---|---|---|---|
| ●その他（た） | other ／其他／그 밖／Khác | | |
| ☐ ちょうど | just ／正好／마침, 딱／vừa đúng | | |
| ☐ 前（まえ） | in front ／前／전／trước | | |
| ☐ 後（うし）ろ | behind ／后／후, 뒤／sau | | |

●著者

有田聡子（広島アカデミー専任講師）
黒江理恵（岡山大学非常勤講師）
高橋尚子（熊本外語専門学校専任講師）
黒岩しづ可（元日本学生支援機構東京日本語教育センター日本語講師）

DTP・本文レイアウト　オッコの木スタジオ
カバーデザイン　滝デザイン事務所
イラスト　山田淳子／杉本千恵美
翻訳　Alex Ko Ransom／司馬黎／崔明淑／近藤美佳／Thuy Lan

本書へのご意見・ご感想は下記URLまでお寄せください。
https://www.jresearch.co.jp/kansou/

## 日本語能力試験問題集　N４聴解スピードマスター

平成28年（2016年）　7月10日　初版第1刷発行
令和6年（2024年）　7月10日　　　第4刷発行

著者　有田聡子／黒江理恵／高橋尚子／黒岩しづ可
発行人　福田富与
発行所　有限会社　Ｊリサーチ出版
〒166-0002　東京都杉並区高円寺北2-29-14-705
電話　03(6808)8801（代）　FAX 03(5364)5310
編集部　03(6808)8806
https://www.jresearch.co.jp
印刷所　大日本印刷株式会社

ISBN 978-4-86392-301-0
禁無断転載。なお、乱丁、落丁はお取り替えいたします。
©2016 Satoko Arita, Rie Kuroe, Naoko Takahashi, Shizuka Kuroiwa
　　　All rights reserved.
Printed in Japan

## How to Download Voice Data

**STEP 1** Visit the website for this product!
This can be done in three ways.
- Scan this QR code to visit the page.
- Visit https://www.jresearch.co.jp/book/b282632.html.
- Visit J Research's website (https://www.jresearch.co.jp/), enter the title of the book in 「キーワード」(keyword), and search for it.

**STEP 2** Click the 「音声ダウンロード」(Voice Data Download) button the page!

**STEP 3** Enter the username "1001" and the password "23010"!

**STEP 4** Use the voice data in two ways!
Listen in the way that best matches your learning style!
- Download voice files using 「音声ファイル一括ダウンロード」(the Download All Voice Files) link, then listen to them.
- Press the ▶ button to listen to the voice data on the spot.

\* Downloaded voice files can be listened to on computers, smartphones, and so on. The download of all voice files is compressed in .zip format. Please extract the files from this archive before using them. If you are unable to extract the files properly, they can also be played directly.

For inquiries regarding voice file downloads, please contact:
**toiawase@jresearch.co.jp** (Business hours: 9 AM – 6 PM on weekdays)

## 如何下载音频

**STEP 1** 进入产品页面！有3种方法可以下载！
- 扫描二维码访问。
- 通过输入 https://www.jresearch.co.jp/book/b282632.html 访问。
- 访问 J Research Publishing 网站（https://www.jresearch.co.jp/）在"キーワード"（关键字）中输入书名进行搜索。

**STEP 2** 点击页面上的「音声ダウンロード」（语音下载）按钮！

**STEP 3** 输入用户名"1001"和密码"23010"！

**STEP 4** 有两种使用语音的方法！选择适合您的学习方式收听！
- 从「音声ファイル一括ダウンロード」（一次性下载所有音频文件）下载并收听文件。
- 按 ▶ 按钮即可现场播放和收听。

※您可以在计算机或智能手机上收听下载的音频文件。下载的音频文件以 .zip 格式压缩。请解压文件使用。如果文件不能顺利地解压，也可以直接播放音频。

● 音频下载咨询 ●
**toiawase@jresearch.co.jp** （受理时间：平日 9:00 ～ 18:00）

## 음성 다운로드 방법

**STEP 1** 상품 페이지로 이동! 다음 세 가지 방법으로!
- QR 코드를 스캔해서 들어간다.
- https://www.jresearch.co.jp/book/b282632.html 를 입력해서 들어간다.
- 제이 리서치 출판（Ｊリサーチ出版）의 홈페이지( https://www.jresearch.co.jp/ )에 들어가서「키워드」에 서적명을 넣어 검색.

**STEP 2** 페이지 안에 있는「音声ダウンロード」(음성 다운로드) 버튼을 클릭!

**STEP 3** 유저명「1001」、비밀 번호「23010」를 입력!

**STEP 4** 음성 이용 방법은 다음 2 가지!
학습 스타일에 맞는 방법을 선택하여 들으시기 바랍니다.
- 「音声ファイル一括ダウンロード」(음성 파일 일괄 다운로드) 에서 파일을 다운로드해서 듣는다.
- ▶버튼을 눌러 바로 재생해서 듣는다.

※ 다운로드한 음성 파일은 컴퓨터・스마트폰 등으로 들을 수 있습니다. 일괄 다운로드 음성 파일은 zip 형식으로 압축되어 있습니다. 풀어서 사용해 주십시오. 파일이 잘 풀리지 않을 경우에는 직접 음성 재생을 누르면 들을 수 있습니다.

음성 다운로드에 대한 문의처 :
**toiawase@jresearch.co.jp** (접수 시간 평일 : 9 시~ 18 시)

## HƯỚNG DẪN TẢI FILE ÂM THANH

**STEP 1** Kết nối vào trang giới thiệu sách! Có 3 bước để tải như sau!
- Đọc mã QR để kết nối.
- Kết nối tại địa chỉ mạng https://www.jresearch.co.jp/book/b282632.html
- Vào trang chủ của NXB J-Research rồi tìm kiếm bằng tên sách tại mục キーワード.

**STEP 2** Nhấp chuột vào nút「音声ダウンロード」có trong trang!

**STEP 3** Nhập tên "1001", mật khẩu "23010" !

**STEP 4** Có 2 cách sử dụng thư mục âm thanh.
Hãy nghe theo cách phù hợp với phương pháp học của mình!
- Tải file để nghe từ mục「音声ファイル一括ダウンロード」.
- Ấn nút ▶ để nghe luôn tại chỗ.

※ File âm thanh đã tải về có thể nghe trên máy tính, điện thoại thông minh. Nếu tải đồng loạt thì file được nén dưới dạng file .zip. Hãy giải nén file trước khi sử dụng. Nếu không giải nén được file cũng vẫn có thể nghe trực tiếp.

Mọi thắc mắc về việc tải file âm thanh hãy liên hệ tới địa chỉ:
**toiawase@jresearch.co.jp** (từ 9:00 ~ 18:00 ngày làm việc trong tuần)

# 日本語能力試験問題集
# N4聴解スピードマスター

## 解答とスクリプト

Scripts and Answers
问题原文与答案
스크립트와 답
Bản gốc bài nghe và đáp án

# ウォーミングアップ

## 1 CD1-02

- F：田中さんの 右の 人は 誰？
- M：ああ、兄だよ。ぼくより 3つ 上。
- F：一番 右の 人は お父さん？
- M：うん。
- F：じゃあ、その 横が お母さん？
- M：そう。
- F：妹さん、すごく 背が 高いね。
- M：違うよ。これは 兄の 友だちで、今の 奥さん。妹は こっち。この 時、まだ 中学生。
- F：ああ、この子。かわいいね。

しつもん 1. 左から 2番目の 人は 誰ですか。
- a.「私」の 姉
- b.「私」の 妹
- c.「私」の 友だち
- d.「私」の 兄の 友だち

しつもん 2. この時、妹が 行って いた 学校は どれですか。
- a. 小学校
- b. 中学校
- c. 高校
- d. 大学

正解：1. d　2. b

### ことばと表現

- □ 3つ 上：3 above／大三岁／3 개 이상／hơn 3
- □ 横：to the side／旁边／옆／bên cạnh

## 2 CD1-03

- M：休みは どうしますか。
- F：7月に 友だちが 遊びに 来るので、日本を 案内します。
- M：へー。どこに 行きますか。
- F：まず、東京を 案内します。それから 京都に 行って、有名な お寺を 見ます。最後に 富士山に 登ります。
- M：奈良や 大阪は 行きませんか。
- F：ええ。今回は 時間が ないんです。北海道で スキーも したい そうですが……。
- M：じゃあ、次は 冬ですね。

しつもん 1. いつ 友だちが 来ますか。
- a. 今年の 春
- b. 今年の 夏
- c. 今年の 秋
- d. 今年の 冬

しつもん 2. 旅行は、どんな 計画ですか。
- a. 東京→大阪→京都→富士山
- b. 東京→京都→奈良→大阪
- c. 東京→京都→富士山
- d. 東京→京都→富士山→北海道

しつもん 3. 旅行で する ことは、いくつ ありますか。

| 絵を 見る | 寺を 見る |
| スキーを する | 山に 登る |

- a. 1つ　b. 2つ　c. 3つ　d. 4つ

正解：1. b　2. c　3. b

### ことばと表現

- □ 案内する：guide／做向导／안내하다／chỉ dẫn
- □ 寺：temple／寺院／절／chùa

## 3

Ⓜ: このカレンダーはどの辺がいい？
Ⓕ: ソファーの上かなあ。今、何もないからね。
Ⓜ: でも、ここだと、ちょっと見にくいと思う。
Ⓕ: そう？ じゃあ、そこの棚の上？ 時計と絵の間。
Ⓜ: そうだね。じゃあ、この辺？
Ⓕ: うーん……。もうちょっと上のほうがいいかな。カレンダーの写真と絵が並ぶくらい。
Ⓜ: こう？
Ⓕ: そうだね。

しつもん 今、部屋のかべは、どうなっていますか。

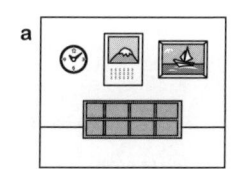

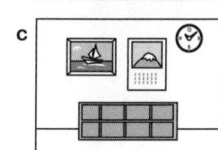

**正解：c**

### ことばと表現

□ ソファー：sofa ／沙发／소파／ ghế sofa

□ 〜にくい：difficult to 〜／难〜／〜기 어렵다／ khó 〜

□ 〜と〜の間：between 〜 and 〜／〜和〜之间／〜과 〜의 사이／ giữa 〜 và 〜

## 4

Ⓕ: ホテルは海に近いほうがいい？
Ⓜ: そうだね。
Ⓕ: じゃあ、ふじホテルだね。スターホテルもまあまあ近いけど。
Ⓜ: うん。でも、ちょっと高いね。ほら。
Ⓕ: ほんとだ、高い。スターホテルは普通か……。
Ⓜ: このさくらホテルはどう？ 山のほうだけど、新しくてきれいだし、高くないし。
Ⓕ: うん、いいんじゃない？

しつもん 1. つぎのホテルは、a〜cのどれですか。
・さくらホテル ＿＿＿＿
・スターホテル ＿＿＿＿
・ふじホテル ＿＿＿＿

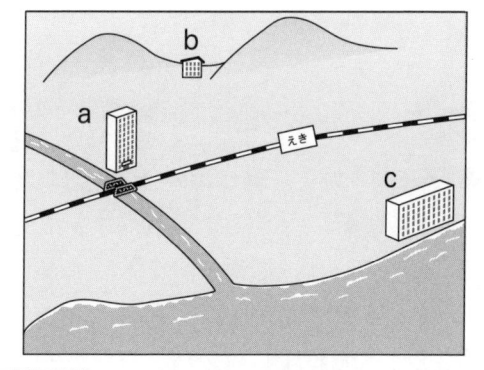

しつもん 2. 二人はどのホテルにしますか。
a. さくらホテル
b. スターホテル
c. ふじホテル

**正解：1. さくらホテル -b**
**スターホテル -a**
**ふじホテル - c**
**2. a**

### ことばと表現

□ まあまあ近い：fairly close ／还比较近／ 그런대로 가깝다／ tương đối gần

## 5

Ⓕ: あすは 朝の うちは 雨ですが、お昼ごろには やみ、午後は 晴れに なるでしょう。

しつもん 1. 明日は 午前10時に 家を 出て、大学へ 行きます。出かける 時、かさは いりますか。

  a. はい  b. いいえ

しつもん 2. 授業が 終わった 後、夕方5時ごろに 家へ 帰ります。その時、かさは いりますか。

  a. はい  b. いいえ

### 正解：1. a 2. b

**ことばと表現**

□ **やむ**：stop ／停／ 그치다 ／ tạnh, ngừng

## 6

Ⓜ: 今日の お昼、駅ビルの ピザ屋は どうですか。

Ⓕ: あそこ、いいですね。でも、お昼は すごく 込みますよ。

Ⓜ: そうですね。じゃ、ハンバーガーは どうですか。

Ⓕ: ああ……。昨日の お昼、ハンバーガーでした。ABC カレーは だめですか。

Ⓜ: うーん、ちょっと 遠いですね。あ、でも、学校の 近くに 新しい カレー屋が できましたから、そこに しますか。

Ⓕ: ああ、ラーメン屋の となりですね。いいですね。そう しましょう。

しつもん 二人は どこに 行きますか。

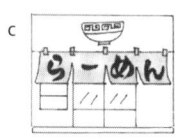

a. PIZZA b. CURRY

c. らーめん d. ハンバーガー

### 正解：b

**ことばと表現**

□ **駅ビル**：駅と いろいろな 店などが 一緒に なった ビル。

A building that contains both a station and various stores together. ／跟火车站连在一起的商业(里面有各种店) 大楼。／역과 여러 가게 등이 같이 있는 건물／ tòa nhà có nhà ga và nhiều cửa hàng.

## 7

Ⓕ: すみません、美術館へ 行きたいんですが、この 8番の バスで 行けますか。

Ⓜ: いえ、これは 行きません。あそこの 2番の バスです。あと、5番の バスも 行きますが、30分に 1本くらいしか 来ません。

Ⓕ: そうですか。

Ⓜ: バス停は「公園入口」です。「大学病院前」の 次です。

Ⓕ: わかりました。

しつもん 1. 男の人は、何番の バスが いいと 思って いますか。

 a. 2番のバス b. 3番のバス
 c. 5番のバス d. 8番のバス

しつもん 2. どこで バスを 降りますか。

 a. 公園前 b. 公園入口
 c. 大学病院前 d. 大学病院入口

正解：1. a　2. b

ことばと表現

□ ～本：電車や バス などを 数える ときの 言葉。
A number used to count items such as trains and buses.／数电车、公交车时的数量词。／전철과 버스 등을 셀 때의 말／từ dùng để đếm tàu điện, xe buýt

## 8

Ⓕ: 赤い 手帳を 見ませんでしたか。
Ⓜ: 棚の 上に 置いて あった 手帳ですよね。机の 上に 置きましたよ。
Ⓕ: え？ ありませんよ。……あ、ありました。雑誌の 下に。

しつもん　女の 人は、どこで 手帳を 見つけましたか。

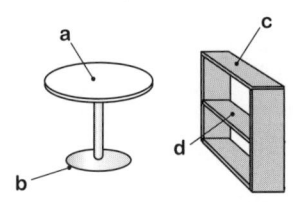

正解：a

ことばと表現

□ 雑誌：magazine／杂志／잡지／tạp chí

## 9

Ⓕ: ねえねえ。田中さんって、どの 人？
Ⓜ: ああ、田中さんね。あそこに いるよ。
Ⓕ: あの めがねを かけている 人？
Ⓜ: いや、それは 山下さん。その 後ろに いる 人。
Ⓕ: 髪が 長くて 背の 高い 人ね。
Ⓜ: それは 青木さん。その となりの 赤い スカートを はいている 人だよ。
Ⓕ: ああ、あの 人ね。

しつもん　1. めがねを かけて いるのは、誰ですか。
a. 青木さん　b. 田中さん
c. 山下さん

しつもん　2. 田中さんは どの 人ですか。

正解：1. c　2. a

ことばと表現

□ 後ろ：behind／后边／뒤／phía sau

## 10

Ⓕ：今度の 旅行だけど、ホテルは どこに する？
Ⓜ：うん。この 山田ホテルは どう？ 湖の そばで、景色が きれいだよ。
Ⓕ：ああ、いいね。あとね、この ふじ旅館も いいと 思う。部屋に 温泉が 付いてるって。
Ⓜ：へー、それは すごい。こっちは 川の 近くだね。
Ⓕ：でも、高い！ さっきの ほうが 5000円も 安い。
Ⓜ：そうか。さっきのも、部屋には ないけど、温泉は あるよ。
Ⓕ：じゃあ、いいよ。そこに しよう。

しつもん 1. つぎの 説明の うち、山田ホテルに 合うのは いくつですか。

温泉が ある　　川の 近く
ホテル代が 5000円

a. 1つ　b. 2つ　c. 3つ

しつもん 2. 二人は どっちの ホテルに しますか。

a. 山田ホテル　b. ふじ旅館

**正解：1.a　2.a**

ことばと表現

□ 温泉：hot spring ／温泉／온천／ suối nước nóng

## 11

Ⓜ：ごめん。明日の 約束なんだけど、別の 日に してくれない？
Ⓕ：何か あったの？
Ⓜ：急に アルバイトに 行かないと いけなくなって。
Ⓕ：そうなんだ。いいよ。

しつもん 男の人は、どうして 明日の 約束を 変えて ほしいと 言っていますか。

a. 明日は アルバイトに 行く 日だったから。
b. 明日、アルバイトに 行く ことに なったから。

**正解：b**

ことばと表現

□ 約束：promise ／约定、约会／약속／ lời hứa

## 12

Ⓕ：国際センターに 行きたいんですが、バスと 電車、どっちが 早いですか。
Ⓜ：うーん、どちらも 時間は 同じくらいです。バスが 1時間くらいですね。入口前まで 行きます。電車の 場合は、40分くらい 乗って、降りてから 15分くらい 歩きます。
Ⓕ：安いのは どっちですか。
Ⓜ：バスが 300円、電車が 200円です。
Ⓕ：じゃ、安い ほうに します。ありがとうございました。

しつもん 1. 国際センターまで、どっちが どれくらい 早いですか。
　a. バスで 行くほうが、電車で 行くより 5分くらい 早い。
　b. 電車で 行く ほうが、バスで 行くより 5分くらい 早い。
　c. バスで 行くのと 電車で 行くのと、ちょうど 同じくらい。

しつもん 2. 女の人は、どっちで 行きますか。
　a. バス　　b. 電車

## 正解：1.b　2.b

### ことばと表現

□ どちら：「どっち」の ていねいな 言い方。

### 13

Ⓜ: あすは、午前中は 雲が 多く、雨の 降る ところが あるでしょう。午後から 寒くなり、夜には 雪が 降ります。寒く なるので、暖かい 服を 着て お出かけください。あさっての 朝には 雪も やんで、晴れるでしょう。

しつもん 明日の 天気は どれですか。

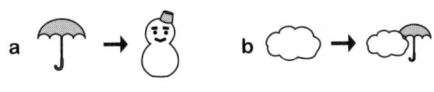

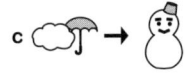

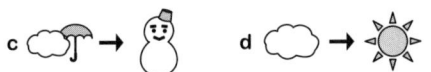

a. ☂ → ⛄　　b. ☁ → ☂
c. ☁ → ⛄　　d. ☁ → ☀

## 正解：c

### ことばと表現

□ 出かける：leave ／出去／외출하다／ đi ra ngoài

### 14

Ⓜ: すみません、となりの 部屋の 田中ですが。
Ⓕ: ああ、おはようございます。
Ⓜ: 昨日の 夜ですが、洗濯機の 音で よく 寝られなかったんです。夜遅い 時間は なるべく 静かに して いただけますか。
Ⓕ: すみません。気を つけます。

しつもん 昨日の 夜、女の人は 何を しましたか。
　a. 掃除　　　　b. 洗濯
　c. 踊りの 練習　d. 楽器の 練習

## 正解：b

### ことばと表現

□ なるべく：as possible ／尽量／가능한 한／ nếu có thể

# PART 1 実戦練習

## もんだい1　課題理解

### 1ばん　CD1-17

店で、女の人と男の人が話しています。男の人は何を注文しますか。

F：ええと、私はこのやさいカレーにする。山田さんは？
M：僕もそれにするよ。あ、デザートと飲み物が300円で頼めるって。
F：そうなの？　じゃあ、私、それも。田中さんは？
M：うーん、どうしようかな。飲み物はほしいけど、デザートはいらないなあ。
F：じゃあ、これは？　300円でコーヒーが何杯でも飲めるって。
M：へえ、いいね。じゃあ、それにしよう。

男の人は何を注文しますか。

1　2　3　4

**正解：4**

**ことばと表現**

□ **注文する**：order／点菜、订货／주문／

□ **デザート**：dessert／甜点／디저트／tráng miệng

### 2ばん　CD1-18

学校で、男の人が試験について説明しています。教室から出てもいいのは何時からですか。

M：えー、明日の試験について説明します。試験は9時から11時までです。教室には30分前から入れます。遅れて来た場合は、20分までなら入ることができます。また、試験が始まってから1時間は教室を出ることができません。その後なら、スタッフに言ってから、出ることができます。

教室から出てもいいのは何時からですか。

1　9時20分
2　9時半
3　10時
4　10時半

**正解：3**

**ことばと表現**

□ **スタッフ**：staff／工作人员／스태프／nhân viên

□ **場合**：case／场合、时候／경우／trường hợp

## 3ばん

男の人と 女の人が 電話で 話して います。二人は、いつ、どこで 会いますか。

Ⓜ: 今日、2時に 映画館の 前で 会おうって 言ってたよね。

Ⓕ: うん。

Ⓜ: でも、午後から 雨が 降る みたいだから、建物の 中に しない?

Ⓕ: そうね。じゃあ、駅の 中に する?

Ⓜ: それより 映画館の となりに デパートが あるでしょ? 1階の エレベーターの 前が 広いし、いすも あるから、そこに しない?

Ⓕ: いいよ。じゃあ、映画の 前に 食事する? デパートの 中に、おいしい ピザの 店が あるの。

Ⓜ: いいね。じゃあ、12時に しよう。

Ⓕ: うん。

二人は、いつ、どこで 会いますか。

**正解:3**

### ことばと表現

□ **言ってた**:「言って いた」が 短く なったもの。

□ **〜みたい**: looks like~ ／像〜／〜같다／như là〜

## 4ばん

電話で、女の人が 美容院の 人と 話して います。女の人は、いつ 予約しましたか。

Ⓕ: すみません。予約を したいんですが。

Ⓜ: ありがとう ございます。いつが ご希望でしょうか。

Ⓕ: えーっと……今週の 木曜日の 夜は 空いて いますか。

Ⓜ: すみません、木曜日の 夜は いっぱいなんです。

Ⓕ: じゃあ、金曜日は どうですか。

Ⓜ: すみません。金曜日も いっぱいで……。

Ⓕ: うーん、今週の 日曜日までに 切りたいんです。土曜日は どうですか。

Ⓜ: 午前なら 空いて いますが…。

Ⓕ: そうですか……。じゃあ、その 日に お願いします。

女の人は、いつ 予約しましたか。

1 木曜日
2 金曜日
3 土曜日
4 日曜日

**正解:3**

### ことばと表現

□ **美容院**: beauty salon ／美容院／미용실／thẩm mỹ viện

□ **希望**: hope ／希望／희망／kỳ vọng

□ **いっぱい**: full ／很多、满满的／가득, 많이／đầy

□ **切りたい**:「髪を 切りたい」と いう こと。

## 5ばん

電話で、男の学生が 学校の 人と 話して います。男の 学生は、この 後、どうしますか。

- Ⓜ：もしもし、Aクラスの 田中ですが、山田先生を お願いします。
- Ⓕ：山田先生は もう 帰られましたよ。急いで いますか。
- Ⓜ：いえ、大丈夫です。明日、学校で 話します。
- Ⓕ：ちょっと 待って ください。……ああ、明日は 山田先生は お休みですね。
- Ⓜ：そうですか。じゃあ、メールを 送っておきます。
- Ⓕ：そうですか。明後日は 朝から いらっしゃいますよ。
- Ⓜ：わかりました。ありがとう ございました。

男の 学生は、この 後、どうしますか。

1 先生に 電話する
2 先生と 会って 話す
3 先生に メールを 送る
4 先生に 学校を 休むと 伝えて もらう

### 正解：3

#### ことばと表現

□ **帰られる**：「帰る」の 尊敬語
an honorific way to say "帰る (go home)" ／是「帰る」的敬语／「帰る (돌아가다)」의 존경어／tôn kính "帰る (ngữ của "ngủ")"

□ **いらっしゃる**：「来る、行く」の 尊敬語
an honorific way to say "来る、行く (come, go)" ／是「来る、行く」的敬语／「来る、行く (오다, 가다)」의 존경어／tôn kính ngữ của "đ 来る、行く (ến, đi)"

## 6ばん

男の 人と 女の 人が 話して います。男の 人は、机を どのように 並べますか。

- Ⓜ：机は どのように 並べましょうか。
- Ⓕ：縦に 3つ、横に 4つ、並べて ください。
- Ⓜ：はい。
- Ⓕ：あ、この クラスは 13人ですから、もう 1つ、窓側に 足しましょう。
- Ⓜ：はい、わかりました。

男の 人は、机を どのように 並べますか。

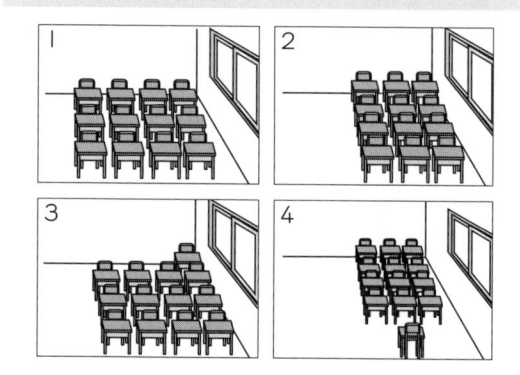

### 正解：3

#### ことばと表現

□ **～側**：~ side ／～边儿／~ 측／bên~
□ **足す**：add ／加、添上／더하다／cộng

## 7ばん

男の人と 女の人が 話して います。男の人は、どこで バスに 乗りますか。

Ⓜ：すみません。緑山公園へ 行く バスは、ここで いいですか。

Ⓕ：ここは 大学病院へ 行く バスですよ。緑山公園は 反対の 方向です。

Ⓜ：そうですか。どこから 乗れば いいですか。

Ⓕ：この 道の 反対側に 渡って、右に 少し 行って ください。そうすると 銀行が あります。その 前が バス停です。

Ⓜ：わかりました。ありがとう ございました。

男の人は、どこで バスに 乗りますか。

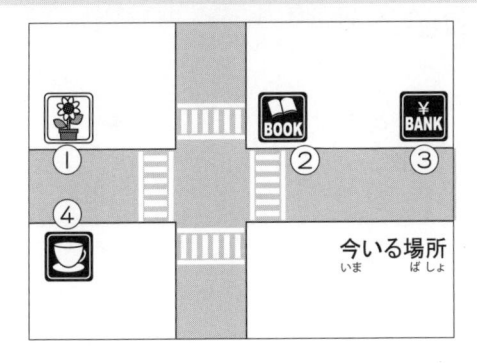

**正解：3**

**ことばと表現**

□ 反対：opposite／相反、反対／반대／đối diện

□ 方向：direction／方向／방향／phương hướng

## 8ばん

会社で、女の人と 男の人が 話して います。男の人は、この 後 すぐ 何を しますか。

Ⓕ：田中さん、食事会は 7時からですが、まだ 会社を 出ないんですか。

Ⓜ：うん……まだ 仕事が 少し 残って いるんだ。悪いんだけど、みんなに 遅れて 行くって 伝えて もらえる？

Ⓕ：わかりました。場所は わかりますか。

Ⓜ：うん。前に 行った お店だよね？ タクシーで 行くよ。

男の人は、この 後 すぐ 何を しますか。

1　電話を する
2　仕事を する
3　食事を する
4　タクシーに 乗る

**正解：2**

**ことばと表現**

□ 伝える：communicate／转达、传达／전달하다／truyền đạt

## 9ばん

女の人と 男の人が 話して います。
二人は 何を しますか。

F: あなたの お母さんの 誕生日、もうすぐだけど、どうする？
M: 花でも あげようか。
F: だめよ、去年と 同じじゃ。今年は 60歳の 誕生日だから、何か 特別な ことを しましょうよ。
M: うーん。時計でも あげる？
F: それより、みんなで 食事に 行くのは どう？
M: いいね。お母さんも 喜ぶと 思う。
F: じゃあ、新しく できた ホテルに いい お店が あったから、そこが いいな。
M: わかった。

二人は 何を しますか。

1　花を あげる
2　時計を あげる
3　食事に 行く
4　旅行に 行く

正解：3

### ことばと表現

□ 喜ぶ：be delighted ／高兴／기뻐하다／ vui mừng

## 10ばん

女の人と 男の人が 話して います。女の人は どんな 服を 着ますか。

F: 明日 着て 行く服だけど、このスカートと このパンツ、どっちが いいと 思う？
M: うーん……パンツの ほうが いいな。
F: そう？ でも、パーティーだから、女性らしい 服の ほうが いいんじゃない？
M: そんな こと ないと 思うよ。
F: あ、そう。じゃあ、上を この ピンクの セーターに しようかな。
M: ああ、いいんじゃない。その 小さい 花も かわいいよ。
F: これでしょ？ うん。

女の人は どんな 服を 着ますか。

正解：3

### ことばと表現

□ 格好：shape, form ／样子、摸样／모습, 모양／ dáng vẻ

□ 〜らしい：appears to be 〜／好像〜／〜인 것 같다／ có vẻ là〜

## 11 ばん

女の人と男の人が話しています。男の人は、この後すぐ、何をしますか。

- Ⓕ：大変、もうこんな時間！もうすぐ田中さんたちが来るのに、部屋が片づいてない。
- Ⓜ：僕がやるよ。
- Ⓕ：お願い！私はお茶の用意をする。あっ、コーヒーがもうない！
- Ⓜ：じゃあ、先にコンビニに行って買ってくるよ。
- Ⓕ：ありがとう。あっ、トイレのそうじもまだだった！

男の人は、この後すぐ、何をしますか。

1 飲み物を用意する
2 部屋を片づける
3 トイレをそうじする
4 コンビニに行く

### 正解：4

#### ことばと表現

- □ 〜のに：even though 〜／好容易〜，却〜／〜것에／〜thế mà
- □ 片付く：clean up, put in order／收拾／정리되다／dọn dẹp

## 12 ばん

学校で、男の学生と女の学生が話しています。女の学生は、午後、何をしますか。

- Ⓜ：田中さん、具合が悪そうですね。大丈夫ですか。
- Ⓕ：昨日の夜、一晩中となりの部屋から変な音がして、全然眠れなかったんです。
- Ⓜ：それは大変でしたね。午後の授業は休んで、うちに帰りますか。
- Ⓕ：いえ、がんばって出席します。明日テストがありますから。
- Ⓜ：そうですか。無理しないでくださいね。

女の学生は午後、何をしますか。

1 うちに帰る
2 少し寝る
3 授業に出る
4 テストの勉強をする

### 正解：3

#### ことばと表現

- □ 具合：conditions／情况、状况、状态／컨디션／tình trạng
- □ 眠る：sleep／睡觉／자다／ngủ
- □ 無理する：overdo／勉强、不可能／무리하다／quá sức

## 13 ばん

お寺の門の前で、男の人と女の人が話しています。男の人は、どんな写真を撮りますか。

Ⓜ：田中さん、ここで写真を撮ってあげるよ。
Ⓕ：ありがとう。
Ⓜ：門を入れたら顔が小さくなるけど、どうしようか。
Ⓕ：有名な門だから、ぜひ入れて撮って。
Ⓜ：わかった。じゃ、もう少し右に動いて。桜の木が入って、きれいだよ。
Ⓕ：うん、わかった。

男の人はどんな写真を撮りますか。

## 正解：3

### ことばと表現

□ 門：gate ／门／문／ cổng

## 14 ばん

会社で、男の人と女の人が話しています。女の人は、これから何をしますか。

Ⓜ：山田さん、今、時間ある？ 会議の準備を手伝ってほしいんだけど。
Ⓕ：はい、大丈夫です。何をしたらいいですか。
Ⓜ：この資料を10枚ずつコピーしてもらえる？
Ⓕ：わかりました。
Ⓜ：あ、ちょっと待って。先に会議室の机を並べよう。
Ⓕ：今、会議中のようですが……。
Ⓜ：そうか。じゃ、会議が終わったら、急いでやろう。
Ⓕ：はい。飲み物も準備しますか。
Ⓜ：飲み物はもう準備してあるから、いいよ。ありがとう。

女の人は、これから何をしますか。

1 つくえを ならべる
2 しりょうを コピーする
3 飲み物を 用意する
4 かいぎを する

## 正解：2

### ことばと表現

□ 準備：preparations ／准备／준비／ sự chuẩn bị
□ 資料：materials ／资料／자료／ tài liệu

# もんだい2　ポイント理解

## 1ばん

大学で 先生が 話して います。学生は、レポートが 遅れる 場合、どうしますか。

Ⓜ：えー、レポートですが、締め切りは 来週の 金曜日です。金曜日の 5時までに 出して ください。私の 部屋に 持って くるか、メールで 送って ください。どうしても その 時間までに 出せない 場合は、来週の 水曜日までに 知らせて ください。必ず、私の 部屋に 来て、相談して ください。

学生は、レポートが 遅れる 場合、どうしますか。

1　来週の 金曜日までに 先生の 部屋に 行く
2　来週の 金曜日までに メールで 知らせる
3　来週の 水曜日までに 先生の 部屋に 行く
4　来週の 水曜日までに メールで 知らせる

### 正解：3

**ことばと表現**

- □ 締め切り：deadline／截止日期／마감／hạn chót
- □ どうしても：no matter what／怎么也／꼭／dù thế nào cũng
- □ 相談する：discuss, confer／商量／상담하다／xin ý kiến

## 2ばん

男の人と 女の人が 話して います。二人は、どうして 会えませんでしたか。

Ⓜ：もしもし、今 どこ？
Ⓕ：約束した 場所に いるよ。駅の 西口の コンビニの 前だよ。
Ⓜ：え、西口？ 東口って 言わなかった？
Ⓕ：西口だよ。私、ずーっと 待ってるよ。
Ⓜ：東口だと 思ったから、僕も コンビニの 前で ずっと 待ってたよ。ごめん、これから すぐ 行く。
Ⓕ：わかった。じゃ、待ってるよ。

二人は、どうして 会えませんでしたか。

1　男の人が 時間に 遅れたから。
2　コンビニが 2つ あったから。
3　男の人が 約束の 場所を 間違えたから。
4　女の人が 約束の 場所を 間違えたから。

### 正解：3

**ことばと表現**

- □ 東口：east exit／东口／동쪽 출구／cửa Đông
- □ 西口：west exit／西口／서쪽 출구／cửa Tây

## 3ばん

男の人と 女の人が 話して います。女の人は どうして 眠いですか。

Ⓜ: どうしたの？ 眠そうだね。昨日、寝るのが 遅かった？
Ⓕ: ううん。夜は 早く 寝た。
Ⓜ: じゃあ、朝、早く 起きたの？
Ⓕ: 起きたのは 7時ぐらい。でも、ほとんど 寝てない。
Ⓜ: 昨日は 暑かったからね。
Ⓕ: そうじゃなくて、昨日は 外が ずっと うるさかったの。それで 寝られなくて……。
Ⓜ: そうなんだ。それは 大変だったね。

女の人は どうして 眠いですか。

1 夜遅くまで 起きて いたから。
2 朝早く 起きたから。
3 暑くて、なかなか 寝られなかったから。
4 うるさくて、よく 寝られなかったから。

### 正解：4

#### ことばと表現

□ ～感じ：「そう 感じられる こと」を 表す 言葉。
A term to describe a way something can be felt.／有种"那种感觉"的表达,有种～感觉／「그렇게 느끼는 것」을 나타내는 말／từ biểu thị "cảm thấy như vậy"

□ うるさい：loud／吵闹、杂吵／시끄럽다／ồm ĩ

## 4ばん

電話で、女の人と 男の人が 話して います。男の人が いる ところの 天気は、今 どうですか。

Ⓕ: もしもし、そっちの 天気は どう？ こっちは すごい 雨だよ。
Ⓜ: そうなんだ。こっちは まだ 降って ない。
Ⓕ: そうなの？ 天気予報だと、今日は どこも 朝から 雨だって 言ってたのに……。
Ⓜ: でも、だんだん 空が 暗く なって きたよ。
Ⓕ: そう。じゃあ、もうすぐ 降るかも しれないね。
Ⓜ: うん。田中さんが こっちに 着く ころには 降ってると 思うよ。

男の人が いる ところの 天気は、今 どうですか。

1 晴れている。
2 曇っている。
3 雨が 少し 降っている。
4 雨が すごく 降っている。

### 正解：2

#### ことばと表現

□ だんだん：increasingly／渐渐／점점／dần dần

## 5ばん

女の人がテレビのニュースで話しています。どうして事故が起こりましたか。

F: 次のニュースです。昨日の午後11時ごろ、さくら山駅の駅前の交差点で、車と自転車がぶつかる事故がありました。車も自転車も、スピードは出していませんでしたが、自転車はライトをつけないで走っていました。そのため、自転車が交差点を曲がったときに、車から見えなかった、ということです。

どうして事故が起こりましたか。

1 自転車が ライトをつけて いなかったから。
2 自動車が ライトを つけて いなかったから。
3 自転車が スピードを 出しすぎて いたから。
4 自転車が 交差点で 急に 曲がったから。

## 正解：1

### ことばと表現

□ **駅前**：駅の前、駅のすぐ近く
in front of the station, very close to the station／火车站前、就在火车站附近／역 앞, 역의 바로 근처／trước ga, ngay gần ga

□ **スピード**：speed／速度／스피드／tốc độ

□ **ライト**：light／光、灯光／라이트／đèn

## 6ばん

女の人が話しています。女の人は、どんな友だちが ほしいと 言っていますか。

F: みなさん、初めまして。マリア・スミスと申します。カナダから来ました。カナダの大学で日本語を勉強していましたが、もっと勉強したくて、日本に来ました。日本では、新しい友だちをたくさんつくりたいです。一緒にご飯を食べたり、買いものに行ったりしたいです。また、一緒に旅行にも行きたいです。いろいろな国の友だちがつくれたらいいと思います。

女の人は、どんな 友だちが ほしいと 言っていますか。

1 日本人の 大学生の 友だち
2 一緒に いろいろな ことを する 友だち
3 日本語を 教えて くれる 友だち
4 いろいろな 国に 一緒に 行って くれる 友だち

## 正解：2

### ことばと表現

□ **〜と申します**：「〜といいます」の謙譲語。自己紹介のときに使う。
A humble way to say "〜といいます (known as ~)." Used in self-introductions.／是「〜といいます」的自谦语，用于自我介绍时使用。／「〜といいます (~라고 합니다)」의 겸양어. 자기소개를 할 때 사용한다.／khiêm nhường ngữ của "〜といいます (tên là~)". Dùng khi giới thiệu bản thân.

## 7ばん

男の人と 女の人が 話して います。女の人は どうして 怒って いますか。

- M：どうしたの？ そんな 怖い 顔して。
- F：田中さんの ことなんだけど…。
- M：田中さん？ また 時間に 遅れたの？
- F：ううん、今日は その ことじゃ ないの。前に 貸して あげた 本が…。
- M：返して くれないの？
- F：返して くれたんだけど、すごく 汚れて いる ページが あって…。汚した ことは 怒って ないんだけど、ごめんも 何も 言わないんだよ。
- M：そうか……。それは よくないね。

女の人は どうして 怒って いますか。

1 友だちが 時間に 遅れたから。
2 友だちが 本を 返して くれないから。
3 友だちが 謝らないから。
4 友だちが 本を 汚したから。

**正解：3**

### ことばと表現

- □ 汚す：make dirty ／弄脏／더럽히다／làm bẩn
- □ ページ：page ／页／페이지／trang

## 8ばん

学校で、女の人と 男の人が 話して います。男の人は、この後 何を しますか。

- F：くもって きたね。雨が 降りそう。
- M：え！ 傘 持って くるの、忘れたよ。今日は もう 授業も ないし、帰ろうかな。
- F：あれ？ 今日は 3時から みんなと 本を 買いに 行くんでしょう？
- M：そうか。ごめん、忘れてた。
- F：雨が 降ったら、傘 貸して あげるから。

男の人は、この後 何を しますか。

1 本屋に 行く
2 家に 帰る
3 傘を 借りる
4 図書館に 行く

**正解：1**

## 9ばん

学校で、男の 学生と 女の 学生が 話して います。男の 学生は、今晩 どんな 勉強を しなければ なりませんか。

Ⓜ：明日の 日本語の 授業、宿題は どこまでだった？

Ⓕ：テキストの 35ページまで。

Ⓜ：ああ、よかった。40ページまでだと 思って、昨日 がんばったんだ。

Ⓕ：CDを 聞く 練習が 結構 時間かかったね。

Ⓜ：えっ？ それは やってない。じゃあ、今夜 やらないと。あと、たしか 作文の 宿題も あったよね？

Ⓕ：うん。でも、それは 金曜日まで。漢字の テストも 金曜日だから、木曜の 夜は 大変。

Ⓜ：そうだね。

男の 学生は、今晩 どんな 勉強を しなければ なりませんか。

1　テキストを 読む
2　聞く 練習をする
3　作文を 書く
4　漢字を 覚える

### 正解：2

**ことばと表現**

□ やらないと：「やらないと いけない」が 短く なったもの。
□ 作文：composition ／作文／작문／ bài tập làm văn

## 10ばん

病院で、男の 人と 女の 人が 話して います。よくない 薬の 飲み方は どれですか。

Ⓜ：はい、お薬です。朝昼晩、食事の 後に 飲んで ください。

Ⓕ：あの、仕事が 忙しいので、昼ごはんを 食べる 時間が ない ことが あるんです。その 場合は 1日 2回でも いいですか。

Ⓜ：いえ。時間を 決めて、飲んで ください。それから、水なしで 飲む 人も いますが、それは やめて ください。何も 食べて いない ときは、牛乳で 薬を 飲んでもいいです。

Ⓕ：わかりました。ありがとう ございます。

よくない 薬の 飲み方は どれですか。

1　ごはんを 食べないで 飲む
2　晩ごはんの あとに 飲む
3　薬だけで 飲む
4　牛乳と 一緒に 飲む

### 正解：3

**ことばと表現**

□ 決める：decide ／決定／정하다／ quyết định

## 11ばん

学校で、先生と男の学生が話しています。男の学生は、この後いつ先生に相談に行きますか。

Ⓜ：先生、ご相談したいことがあるんですが、今よろしいですか。

Ⓕ：ごめんなさい。これから会議です。今日は何時に終わるかわかりません。

Ⓜ：そうですか。では、明日はいかがですか。

Ⓕ：そうですね……。2時に授業が終わるので、2時半から大丈夫です。

Ⓜ：わかりました。では、3時ごろ伺います。

Ⓕ：わかりました。

男の学生は、この後いつ先生に相談に行きますか。

1 会議のあと
2 今日の2時
3 明日の2時半
4 明日の3時

### 正解：4

**ことばと表現**

□ 伺う：「行く」の謙譲語。
A humble way to say "行く (go to)." ／是「行く」的谦让语。／「行く (가다)」의 겸양어／khiêm nhường ngữ của "行く (đi)"

## 12ばん

交番の前で、女の人と男の人が話しています。女の人は、これからどこに行きますか。

Ⓕ：すみません、ここから一番近い地下鉄の入口はどこですか。

Ⓜ：あのコンビニの横ですよ。

Ⓕ：ありがとうございます。

Ⓜ：あ、でも、そのスーツケース、重そうですね。階段しかありませんから、大変ですよ。

Ⓕ：そうですか。

Ⓜ：コンビニの少し先に青いビルがあります。そこに地下鉄に行くエスカレーターがありますから、そこがいいと思います。

Ⓕ：わかりました。ありがとうございます。

女の人は、これからどこに行きますか。

1 コンビニ
2 青いビル
3 コンビニの横の階段
4 一番近い階段

### 正解：2

**ことばと表現**

□ 地下鉄：subway ／地铁／지하철／tàu điện ngầm

## 13ばん

学校で、男の人と女の人が話しています。二人は、いつお見舞いに行きますか。

- Ⓜ: 山田さん、先週の金曜日にけがで入院したらしいよ。
- Ⓕ: 本当⁉ 大変だね。どれくらい入院するんだろう。
- Ⓜ: けがはあまりひどくないそうで、来週の土曜日には退院できるって。
- Ⓕ: そう。でも、一回お見舞いに行こうよ。明日の午後はどう？ 授業、ないよね？
- Ⓜ: ごめん。火曜はアルバイトがあるんだ。水曜と木曜の午後は大丈夫だけど。
- Ⓕ: 水曜って15日か……。その日はだめだなあ。
- Ⓜ: じゃあ、16日だね。
- Ⓕ: うん。早いほうがいいからね。

二人は、いつお見舞いに行きますか。

1 今週の 火曜日
2 今週の 水曜日
3 今週の 木曜日
4 今週の 金曜日

## 正解：3

### ことばと表現

□ **お見舞い**：visiting the ill ／看望病人／병문안／đi thăm bệnh

□ **ひどい**：awful ／厉害／심하다／ kinh khủng

## 14ばん

病院で、医者と男の人が話しています。医者は、どうして治らないと言っていますか。

- Ⓜ: 先生、頭が痛いのが治らないんですが……。
- Ⓕ: 先月出した薬は飲みましたか。
- Ⓜ: はい。飲んだら少しよくなるんですが、すぐにまた痛くなるんです。
- Ⓕ: 仕事は忙しいですか。
- Ⓜ: そうですね。毎晩帰るのは10時過ぎです。
- Ⓕ: お休みの日はどうですか。休んでいますか。
- Ⓜ: そうですね……。よくうちで仕事をしています。
- Ⓕ: うーん。ちょっと働きすぎですね。薬は出しますが、もう少し休むようにしてくださいね。

医者は、どうして治らないと言っていますか。

1 男の人が薬を飲まないから
2 男の人に、今の薬が合っていないから
3 男の人が働きすぎているから
4 男の人があまり寝ないから

## 正解：3

### ことばと表現

□ **〜すぎ**：「〜すぎる」の名詞形。

The noun form of "〜すぎる (too ~)"／是「〜すぎる」的名词形／"〜すぎる (〜넘다)"의 명사형／dạng danh từ của "〜すぎる (quá〜)"

□ **〜すぎる**：too ~／过于〜／〜지나치다, 넘다／ quá〜

## もんだい3　発話表現

### 1ばん

店に 置いて ある カタログが ほしいです。何と 言いますか。

F：1　これ、もらっても いいですか。
　　2　これ、あげても いいですか。
　　3　これ、くれても いいですか。

正解：1

**ことばと表現**

□ カタログ：catalog ／小册子／카탈로그／catalô

### 2ばん

授業に 遅れました。先生に 何と 言いますか。

M：1　先生、すみませんが、遅れました。
　　2　先生、遅れて、すみません。
　　3　先生、お待たせしました。

正解：2

### 3ばん

具合が 悪いので、今日の アルバイトを 休みたいです。何と 言いますか。

M：1　すみません。今日、休んでくれますか。
　　2　すみません。今日、休ませてもらえませんか。
　　3　すみません。今日、休んでもらっていいでしょうか。

正解：2

### 4ばん

友だちに 借りた 本に コーヒーを こぼしました。友だちに 何と 言いますか。

F：1　ごめんなさい。本を 汚して しまいました。
　　2　ごめんなさい。本が 汚れる ように なりました。
　　3　ごめんなさい。本を 汚されて しまいました。

正解：1

ことばと表現

□ こぼす：spill ／撒、洒／흘리다／ đánh đổ

## 5ばん

子どもの 部屋が 汚いです。何と 言いますか。

F: 1 部屋を 片付けなさい。
　　2 部屋を 片付けさせます。
　　3 部屋を 片付けられます。

正解：1

ことばと表現

□ 部屋が 汚い：room is dirty ／房间很脏、房间很乱／방이 더럽다／ phòng bẩn

## 6ばん

男の人が、医者に みて もらった 後、帰ります。医者は 何と 言いますか。

F: 1 お元気で。
　　2 お大事に。
　　3 お休みなさい。

正解：2

## 7ばん

食事会を するので、友だちに レストランの 予約を 頼みます。何と 言いますか。

F: 1 レストランの 予約を して もらう？
　　2 レストランの 予約を して あげない？
　　3 レストランの 予約を して くれない？

正解：3

## 8ばん

会社で 部長より 早く 帰ります。何と 言いますか。

F: 1 ごめんください。
　　2 お帰りなさい。
　　3 お先に 失礼します。

正解：3

ことばと表現

□ 部長：department head ／经理／부장／ trưởng phòng

## 9ばん

会社で、となりの 人が 気分が 悪そうです。何と 言いますか。

Ⓜ: 1　少し 休ませて ください。
　　2　少し 休んだら どうですか。
　　3　少し 休んで ほしいです。

**正解：2**

## 10ばん

うちを 出て、学校へ 行きます。何と 言いますか。

Ⓜ: 1　行ってらっしゃい。
　　2　行ってしまいます。
　　3　行ってきます。

**正解：3**

**ことばと表現**

□ 行ってきます：出かける 人が 言う 表現。
A phrase said by someone leaving.／是出门人离开家时的问候语。／외출하는 사람이 하는 말．／câu nói trước khi đi ra ngoài.

□ 行ってらっしゃい：出かける 人に 言う 表現。
A phrase said to someone leaving.／是向出门人打招呼的问候语。／외출하는 사람에게 하는 말／câu nói với người đi ra ngoài

## 11ばん

明日 宿題を 出したいです。先生に 何と 言いますか。

Ⓜ: 1　明日、宿題を 出しても いいですか。
　　2　明日、宿題を 出して くれませんか。
　　3　明日、宿題を 出しましょうか。

**正解：1**

**ことばと表現**

□ 出す［宿題や レポートなどを］：submit／提出／제출하다／nộp

## もんだい４　即時応答

### １ばん
Ⓕ：もう 宿題を しましたか。
Ⓜ：１　ええ、終わりますよ。
　　２　ええ、お願いします。
　　３　いいえ、まだ して いません。

**正解：３**

ことばと表現
□ まだ～ない：no ~ yet ／还没～／아직 ~ 아니다／ vẫn chưa ~

### ２ばん
Ⓕ：荷物を 運ぶのを 手伝って もらえませんか。
Ⓜ：１　ええ、運ぶのです。
　　２　ええ、いいですよ。どこですか。
　　３　いいえ、この 荷物は もらえません。

**正解：２**

ことばと表現
□ 運ぶ：carry ／搬运／나르다／ khiêng, vác
□ 手伝う：help ／帮忙／돕다／ giúp đỡ

### ３ばん
Ⓜ：将来の 夢は 何ですか。
Ⓕ：１　日本語の 先生に なれます。
　　２　日本語の 先生に なる ことです。
　　３　日本語の 先生に なる 予定です。

**正解：２**

ことばと表現
□ 将来：future ／将来／장래／ tương lai
□ 夢：dream ／梦想／꿈／ giấc mơ
□ 予定：plans, schedule ／预定／예정／ dự định

### ４ばん
Ⓕ：これ、片づけて おいて もらえる？
Ⓜ：１　はい、もらえると 思います。
　　２　ええ、いいですよ。
　　３　いえ、おいては いけません。

**正解：２**

### ５ばん
Ⓕ：試験が 終わったら、何を する つもりですか。
Ⓜ：１　ゆっくり 休みたいです。
　　２　合格したいです。
　　３　今、終わった ところです。

**正解：１**

ことばと表現
□ ～つもり：feeling ／打算～／ ~ 예정／ ~ định

### ６ばん
Ⓜ：すみません、注文した 料理が まだ 来ないんですが……。
Ⓕ：１　申し訳ありません。少々 お待ち ください。
　　２　もうすぐ 来る 時間だと 思います。
　　３　すみません。いつ 来るか、わかりません。

正解：1

### 7ばん

Ⓜ：ちょっと となり、よろしいですか。

Ⓕ：1 はい、となりで いいです。
　　2 いいえ、最近 よくないです。
　　3 ええ、どうぞ。

正解：3

ことばと表現

□ よろしいですか：「いいですか」の ていねいな 言い方。

### 8ばん

Ⓜ：国へ 帰るのは いつですか。

Ⓕ：1 毎晩 7時に 帰って います。
　　2 来年 4月に 帰ろうと 思います。
　　3 1週間ぐらいの 予定です。

正解：2

ことばと表現

□ 予定：plans, schedule ／预定／예정／ dự định

### 9ばん

Ⓜ：田中先生は 何時に 来ますか。

Ⓕ：1 10時から 授業です。
　　2 9時に 来ると 言って いました。
　　3 1時に 来て ください。

正解：2

### 10ばん

Ⓜ：こちらの さいふですね。もう 落とさないで くださいね。

Ⓕ：1 かしこまりました。
　　2 はい、気を つけます。
　　3 失礼します。

正解：2

ことばと表現

□ かしこまりました。：Understood.／好的、知道了。／알겠습니다／ tôi hiểu rồi

※ 客などに 使う ていねいな 表現。
A polite phrase used to customers and others. ／是对客人的一种尊重表现。／손님에게 사용하는 정중한 표현／ câu lịch sự dùng để nói với khách

### 11ばん

Ⓜ：田中さん、お昼ご飯、食べに 行かない？

Ⓕ：1 すみません、今 食べた ところなんです。
　　2 はい、お昼ご飯は いつも お弁当です。
　　3 私は どこでも いいですよ。

正解：1

## 12 ばん

Ⓜ: ケーキと アイスクリーム、どっちが いいですか。

Ⓕ: 1 アイスクリームは いいです。
2 アイスクリームより いいです。
3 アイスクリームの ほうが いい です。

正解：3

## 13 ばん

Ⓜ: この お店、行った こと ある？

Ⓕ: 1 はい、行く つもりです。
2 はい、友だちと 行きました。
3 はい、行きたいです。

正解：2

## 14 ばん

Ⓜ: 先生、作文の 宿題は いつまでに 出さなければ なりませんか。

Ⓕ: 1 月曜日まででしょう。
2 月曜日までに 出して ください。
3 月曜日からです。

正解：2

## 15 ばん

Ⓜ: あの、これ、落としましたよ。

Ⓕ: 1 ええ、そうです。
2 ありがとうございます。
3 気をつけます。

正解：2

### ことばと表現

□ 落とす：drop ／掉、摔／떨어뜨리다／ đánh rơi

---

### ！ポイント ― 自然な 表現
Point — Natural expression ／要点 — 自然流露／포인트 ― 자연스러운 표현／ Điểm — biểu hiện tự nhiên

聴解問題では、〈文法的には 間違いでは ないが、会話の 中で 不自然な 日本語表現〉は 適当 とは いえません。問題の 指示文「いちばん いい ものを えらんで ください」の「いちばん いい もの」は、当然、自然な 会話表現で ある べきです。

In listening questions, grammatically correct but unnatural Japanese expressions given the conversation are not correct. The ""Best choice"" indicated on the instruction, ""Select the best choice from among the answers"" should, of course, be a natural dialogue expression.

在听解问题中＜语法虽然没错，但会话中不自然的表现＞不能说是正确的。问题里所提示的「选择最正确的」中的「最正确的」当然是最自然的会话表现。

청해문제에서는 ＜문법적으로는 문제없지만 회화 안에서 부자연스러운 일본어 표현＞은 적당하다고 할 수 없습니다．문제의 지시문「가장 좋은 것을 골라 주세요」의「가장 좋은 것」은 당연히 자연스런 회화 표현이어야 합니다．

Trong bài nghe hiểu, 〈những câu tiếng Nhật dù đúng ngữ pháp nhưng không tự nhiên trong hội thoại〉cũng được coi là câu lựa chọn sai. ""Câu thích hợp nhất"" trong đề bài ""hãy chọn câu thích hợp nhất"" dĩ nhiên phải là cách nói tự nhiên trong hội thoại.""

## PART 2 模擬試験(もぎしけん)

### 第1回(だいかい)

### もんだい1

CD2-04

**れい**

女の人と 男の人が 話して います。男の人は、これから どこに 行きますか。

F: ねえ、私、忙しいから、クロの 散歩に 行って きて くれない?

M: いいよ。じゃあ、公園まで 行って くる。

F: あ、ちょっと 待って。その 前に、スーパーで お肉を 買って きて くれる?

M: はい、はい。じゃあ、行く 途中で 郵便局に 行こうかな。はがきを 出すから。

F: それなら、スーパーで 出せば? ポストが あったと 思う。

M: あ、そう。じゃあ、そうする。

男の人は、これから どこに 行きますか。

正解:2

---

### ことばと表現(ひょうげん)

□ 寄(よ)る:approach/顺便经过、靠近/들르다/ghé vào

□ 途中(とちゅう):middle/途中/도중/giữa đường

□ はがきを 出(だ)す:send a postcard/寄明信片/엽서를 보내다/gửi bưu thiếp

---

### 1ばん

CD2-05

女の人と 男の人が 話して います。二人は、夏休みに どこへ 行きますか。

F: 今週の 土曜日、どこか 行こうよ。

M: いいね。海は どう?

F: 海は ちょっと……。泳ぐのは あまり 好きじゃ ないから。

M: そう……。じゃあ、山は? 山の 上から きれいな 景色を 見ると、気持ちいいよ。さくら山が いいな。

F: うーん、登るの 大変そう。映画館とか デパートとか、涼しい ところに しようよ。

M: でも、さくら山は 全然 高くないから、疲れないよ。山の 中は 結構 涼しいし……。

F: そうなんだ。じゃあ、そこへ 行こう。

二人は、夏休みに どこへ 行きますか。

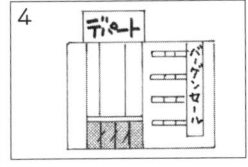

**正解：2**

ことばと表現

- 〜そう：seems 〜／好像〜／〜것 같다／có vẻ 〜
- 結構：fairly／挺、比较／상당히, 꽤／khá là

**正解：4**

ことばと表現

- スピーチ大会：speech contest／演讲大会／말하기대회／kỳ thi hùng biện
- 心配だから：because (I'm) worried／因为担心／걱정이어서／vì lo lắng

CD2 06

## 2ばん

先生と 学生が 話して います。学生は、明日 何を 持って きますか。

M: 先生、明日の スピーチ大会は 話す ことを 覚えなければ なりませんか。
F: その ほうが いいですが、書いた 文を 見ながら 話しても いいですよ。
M: わかりました。じゃあ、心配だから、紙を 持って いきます。それから、写真を 使っても いいですか。私が とった 鳥の 写真です。
F: ええ、いいですよ。
M: パソコンで 見せても いいですか。
F: いえ、パソコンは 使えません。
M: でも、写真だと 小さいですから……。
F: じゃあ、写真を 大きく コピーした ものを 使って ください。
M: わかりました。

学生は、明日 何を 持って きますか。

CD2 07

## 3ばん

女の人と 男の人が 話して います。二人は、いつ、どこで 会いますか。

F: 明日 1時に 駅の 東口でしたよね。
M: はい。
F: あのう、すみません、朝、ちょっと 用事が できて しまって、間に合わないかも しれません。
M: そうですか。じゃあ、1時間 遅く しますか。
F: いいですか。それから、東口より 西口の ほうが 近いので、場所も 変えて もらえませんか。
M: いいですよ。じゃあ、そう しましょう。
F: すみません。

二人は、いつ、どこで 会いますか。

| | | | |
|---|---|---|---|
| 1 | 12時に 東口 | 2 | 1時に 西口 |
| 3 | 2時に 西口 | 4 | 2時に 東口 |

## 正解：3

### ことばと表現

□ 用事：task ／有事／볼 일／việc bận

### ことばと表現

□ 何か：something ／什么……吗／무언가／thứ gì đó
□ できれば：if possible ／尽可能／가능하면／nếu có thể
□ ハンカチ：handkerchief ／手绢／손수건／khăn tay

## 4ばん

男の人と 女の人が 話して います。二人は、何を 買いますか。

Ⓜ：先生の 誕生日に 何か あげませんか。
Ⓕ：いいですね。毎日 使って もらえる ものが いいですね。
Ⓜ：ええ。グラスや お皿は どうですか。
Ⓕ：そうですね。でも、できれば、使って いるのを 見たいですよね。
Ⓜ：じゃあ、ハンカチとか ネクタイとか。
Ⓕ：ああ、いいですね。先生、いつも 青いのを して いるから、赤いのを 買いませんか。
Ⓜ：ええ。そうしましょう。

二人は、何を 買いますか。

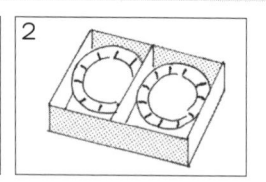

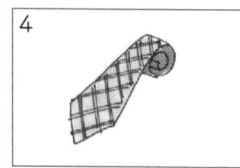

## 正解：4

## 5ばん

男の人と 女の人が 話して います。男の人は、明日 どんな 服を 着て いきますか。

Ⓜ：ねえ、明日の パーティーだけど、どんな 服を 着て いけば いいかなあ。
Ⓕ：そうねえ。明日も すごく 暑そうだから、ネクタイは なくても いいんじゃない？
Ⓜ：そうだね、クールビズだからね。じゃあ、上着も 着なくて いいかなあ。
Ⓕ：それは どうかなあ……。初めて 会う 人が 多いんでしょう。上着は 着て いった ほうが いいと 思うよ。
Ⓜ：そうか。じゃあそうするよ。

男の人は、明日 どんな 服を 着て いきますか。

正解：3

ことばと表現

□ クールビズ：夏の 一定期間、軽い 服装で 働く こと。
To work wearing lighter clothes for a period in the summer.／在夏季的一段时间里穿少量的衣服工作。／여름의 일정기간 가벼운 복장으로 일하는 것／vào thời gian nhất định của mùa hè, mặc quần áo nhẹ khi làm việc

□ それはどうかなあ。：I wonder about that.／那会怎么样呢。／그건 어떨지／không biết chuyện đó thế nào

## 6ばん

CD2 10

女の人が 話して います。女の人は、どの 写真を 撮りましたか。

F：これは、去年の 4月に 撮った 写真です。川の そばに たくさんの 桜が 咲いて いて、とても きれいでした。川の 向こう側には、小さな 黄色い 花も 咲いて いました。そして、遠くには まだ 雪が 残って いる 山も あります。一枚の 写真から 春と 冬の 二つの 季節が 感じられて、とても 好きな 一枚です。

女の人は、どの 写真を 撮りましたか。

正解：2

---

ことばと表現

□ 向こう側：the other side／対方／건너편／phía bên kia

□ 残る：remains／剩下、剩余／남다／còn sót lại

## 7ばん

CD2 11

女の人と 男の人が 話して います。女の人は、アルバイト代を もらったら、どうしますか。

F：ねえ、もうすぐ アルバイト代が もらえるよね。何に 使う？

M：僕は 新しい 靴を 買うつもり。山田さんは ギター教室に 通うの？

F：うん。ギター、習いたいんだけどね。でも、その前に 旅行がしたくて。

M：旅行？

F：そう。自転車で 九州を 回りたいと 思って。でも、自転車を 持ってないのよ。

M：そうなんだ。古いので よければ、家に 1台あるけど。

F：ありがとう。でも、買いたいのが あるのよ。

M：そうなんだ。

女の人は、アルバイト代を もらったら、どうしますか。

1 くつを 買う
2 ギターきょうしつに 通う
3 じてんしゃを 買う
4 りょこうをする

正解：3

ことばと表現

□ ～代：~ price ／～价、～费／ ～요금／tiền ~

## 8ばん

男の人と 女の人が 話しています。二人は、これから どうしますか。

Ⓜ：先に 美術館に 行く？ それか、お昼 ご飯に する？
Ⓕ：美術館に 行こうよ。午後は 込みそうだから。
Ⓜ：そうだね。……あ、しまった。部屋に 置いて きて しまった。
Ⓕ：え？ 何を？
Ⓜ：美術館が 100円 安く なる 割引券。ホテルに 置いて あったんだよ。
Ⓕ：そうなんだ。残念。……あっ、あそこは？ 駅の 中に 案内所が あったじゃない。
Ⓜ：ああ、昨日、最初に 行った ところ。あそこなら、ありそう。
Ⓕ：ちょっと 戻るけど、行って みよう。

二人は、これから どうしますか。

1　駅に 行く
2　ホテルに 戻る
3　絵を 見る
4　食事を する

正解：1

ことばと表現

□ 割引券：discount ticket ／折扣票／할인권／ phiếu giảm giá
□ 案内所：information booth ／咨询处／안내소／ trạm chỉ dẫn

## もんだい2

### れい

男の人と 女の人が 話しています。男の人は、ピアノを 何年間 習いましたか。

Ⓜ：山田さんは ピアノが 上手ですね。
Ⓕ：いえいえ。昔、ちょっと 習って いただけです。
Ⓜ：どれくらい 習って いたんですか。
Ⓕ：小学校の 6年間と、中学が 2年までです。勉強が 忙しく なって、やめました。
Ⓜ：そうですか。
Ⓕ：田中さんは 何か 習いましたか。
Ⓜ：ぼくも ピアノを 習って いました。小学校の 時、3年間ですが。
Ⓕ：そうですか。スポーツも 音楽も できるんですね。

男の人は、ピアノを 何年間 習いましたか。

1　2年間
2　3年間
3　6年間
4　8年間

正解：2

ことばと表現

□ 昔：the past ／从前、以前／옛날／ ngày xưa
□ 習う：learn ／学习／배우다／ học
□ 音楽：music ／音乐／음악／ âm nhạc

## 1ばん

男の人と 女の人が 話して います。男の人は、どうして 花見に 参加しませんでしたか。

Ⓜ: お花見は どうだった？
Ⓕ: すごく きれいだったよ。ジョンさんは 仕事だったの？
Ⓜ: いや、春は 外に いると 具合が 悪くなるんだ、目とか 鼻とか。花は 好きなんだけど…。
Ⓕ: ああ……花粉症か。大変だね。
Ⓜ: うん……。桜を 見ながら、みんなと おいしい ワインを 飲みたかったなあ。

男の人は、どうして 花見に 参加しませんでしたか。

1 花に きょうみが ないから
2 ぐあいが 悪く なるから
3 お酒が きらいだから
4 仕事が 忙しかったから

## 正解：2

**ことばと表現**

□ 花粉症：hay fever ／花粉症／꽃가루 알레르기／dị ứng phấn hoa

## 2ばん

男の人と 女の人が 話して います。二人は、友だちの 誕生日パーティーを いつ しますか。

Ⓜ: もうすぐ マリアさんの 誕生日ですね。みんなで パーティーを しませんか。
Ⓕ: そうですね。誕生日が 今週の 水曜日ですから、その 日の 夜は どうですか。
Ⓜ: でも、木曜日に 試験が ありますよ。試験の 後のほうが いいと 思います。
Ⓕ: じゃあ、金曜日の 夜は どうですか。
Ⓜ: いいですね。土曜日は 学校も 休みですし。じゃ、みんなに 招待の メールを 送って おきますね。

二人は、友だちの 誕生日パーティーを いつ しますか。

1 水曜日
2 木曜日
3 金曜日
4 土曜日

## 正解：3

**ことばと表現**

□ 学校も 休みですし。:「学校が 休みですから」という 意味。
□ 招待：invitation ／招待／초대／lời mời

## 3ばん

電話で、男の人と女の人が話しています。男の人はどうして遅れますか。

- M：ごめん、20分くらい遅れそう。
- F：え？また寝坊しちゃったの？
- M：違うよ。事故があったみたいで、電車が止まってしまって……。バスに乗り換えたら、もっと時間がかかりそうだし……。
- F：じゃ、仕方がないね。でも、なるべく急いで。みんなを待たせちゃうから。
- M：うん。
- F：あ、それから、今日のチケットは忘れていないでしょうね？
- M：もちろん。
- F：よかった。じゃ、また後で。

男の人はどうして遅れますか。

1 電車が止まったから
2 バスが来ないから
3 ねぼうしたから
4 忘れ物をしたから

## 正解：1

### ことばと表現

- □ しかたがない：it can't be helped／没办法／어쩔 수 없다／không còn cách nào
- □ 忘れていないでしょうね。：「忘れていないですよね。」と確認している。

## 4ばん

女の人が話しています。女の人は、最近どのくらい妹とけんかをしますか。

- F：私には妹が2人います。みんなとても仲がいいですが、小さいころは、よくけんかもしました。ときどき妹を泣かせてしまい、母に叱られました。大人になってからは、けんかをすることはほとんどなくなりましたが、一緒に遊んだり話をしたりする時間もずいぶんと減りました。いつも一緒に過ごしていた子どものころを思い出して、ちょっとさびしくなります。

女の人は、最近どのくらい妹とけんかをしますか。

1 よくする
2 ときどきする
3 ほとんどしない
4 全然しない

## 正解：3

### ことばと表現

- □ 仲がいい：friendly with／关系很好／사이가 좋다／hòa thuận
- □ 減る：decrease／减／줄다／giảm
- □ 過ごす：pass (time)／过／지내다／trải qua
- □ 思い出す：remember／回忆、记忆／생각해 내다／nhớ lại

## 5ばん

男の留学生と女の留学生が話しています。男の留学生は、大学で何を研究していますか。

- M: この映画、見たことある?
- F: 日本の映画? ……ああ、アニメね。知らない。
- M: 文学部の先生が紹介してくれたんだ。すごくよかったよ。
- F: へえ。私は日本語の勉強のためによくドラマを見るけど、アニメはあまり見てないなあ。
- M: ぼくは研究しているから、毎日見ているよ。
- F: そうなんだ。じゃあ、今度、いいのを教えて。
- M: うん。じゃあ、ぼくにはおもしろいドラマを教えて。
- F: わかった。

男の留学生は、大学で何を研究していますか。

1　日本のアニメ
2　日本のえいが
3　日本のドラマ
4　日本のぶんがく

## 正解：1

### ことばと表現

- □ 文学部：literature department ／文学部／문학부／ khoa văn học
- □ ドラマ：drama ／电视连续剧／드라마／ phim truyện hình

## 6ばん

女の人と男の人が話しています。男の人は、明日何時に家を出ますか。

- F: 明日は何時の飛行機?
- M: 7時。
- F: 家は何時ごろに出るの?
- M: お土産を買いたいから、6時には空港に着きたいな。バスで40分くらいだから、5時に出ようかな。
- F: いや、夕方は混むから、1時間はかかるよ。
- M: そう? じゃ、30分早くして、4時半に出るか……。
- F: うん。5時でも飛行機には間に合うけどね。お土産をゆっくり探すなら、そのほうがいいよ。

男の人は明日、何時に家を出ますか。

1　4時半
2　5時
3　5時半
4　6時

## 正解：1

### ことばと表現

- □ 着く：arrive ／到达／도착하다／ đến nơi
- □ 探す：search for ／找／찾다／ tìm kiếm

## 7ばん

男の 学生と 女の 学生が 話しています。女の 学生は、何曜日が 休みだと 言っていますか。

- Ⓜ: 最近、すごく 忙しそうだね。レストランの アルバイト？
- Ⓕ: ううん。あのアルバイトは 月曜日と 土曜日だけ。
- Ⓜ: じゃ、なんで？
- Ⓕ: 今、田中先生の お仕事を 手伝う アルバイトを しているの。大学へ 行く 日は 全部だから、水曜日 以外。
- Ⓜ: へー。じゃあ、日曜日と 水曜日しか ゆっくり できないね。
- Ⓕ: ううん。日曜日も 朝から 晩まで レポートを 書いて いる。でも、今は 週に 1日 休めたら、いいよ。
- Ⓜ: そう。

女の 学生は、何曜日が 休みだと 言っていますか。

1　月曜日
2　水曜日
3　土曜日
4　日曜日

**正解：2**

**ことばと表現**

- □ **なんで**：「どうして」の 会話 表現
  a conversational expression to say "どうして(why)" ／是「どうして」的口语表现／「どうして (어째서)」의 회화표현／văn nói của "どうして (tại sao)"

- □ **～以外**：other than ~ ／〜以外／〜 이외／ ngoài ~

## もんだい3

### れい

急に 雨が 降って 困りました。何と 言いますか。

- Ⓜ: 1　雨が 降って くれました。
    2　雨は 降って しまいました。
    3　雨に 降られました。

**正解：3**

**ことばと表現**

- □ **困る**：worry ／为难／곤란하다／ gặp khó khăn

### 1ばん

レストランで 働いて います。客に 料理を 出します。何と 言いますか。

- Ⓜ: 1　かしこまりました。
    2　お待たせしました。
    3　ごめんください。

**正解：2**

## 2ばん

友達の 誕生日です。プレゼントを あげます。何と 言いますか。

Ⓜ：1 たんじょう日、おめでとう。
　　 2 たんじょう日、どうぞ。
　　 3 たんじょう日、よろしく。

正解：1

## 3ばん

友だちが 物を 探して います。何と 言いますか。

Ⓜ：1 お大事に。
　　 2 がんばってください。
　　 3 どうしたんですか。

正解：3

## 4ばん

子どもが 猫を いじめて います。何と 言いますか。

Ⓕ：1 そんな ことを しなければ ならないよ。
　　 2 そんな ことを しては いけないよ。
　　 3 そんな ことを しない ように なるよ。

正解：2

ことばと表現

□ いじめる：bully ／欺负／괴롭히다／ bắt nạt

## 5ばん

雨が 降りそうです。何と 言いますか。

Ⓕ：1 かさを 持ちませんか。
　　 2 かさを 持って 行った ほうが いいですよ。
　　 3 かさを 持たないで 出かけます。

正解：2

# もんだい4

### れい

Ⓕ: そろそろ 失礼します。

Ⓜ: 1 あ、そろそろ 失礼ですね。
2 また、いらっしゃって くださいね。
3 そうですね。お待たせしました。

**正解：2**

ことばと表現

□ 失礼します。：帰る ときに 言う ていねいな 表現。
A polite phrase used when leaving. ／回去时说的客套语。／돌아 갈 때 말하는 정중한 표현/ câu lịch sự nói khi ra về

### 1ばん

Ⓜ: おいしい ラーメン屋を 探して いるんですが……。

Ⓕ: 1 いいですね。行ってらっしゃい。
2 ラーメンなら、いい 店が ありますよ。
3 大変ですね。がんばって ください。

**正解：2**

### 2ばん

Ⓜ: お母さんは お元気ですか。

Ⓕ: 1 どうも、お元気です。
2 はい、こちらこそ。
3 ええ、おかげさまで。

**正解：3**

ことばと表現

□ こちらこそ。：Likewise. ／哪里哪里（我才～）／저야말로 / chính tôi mới phải nói vậy

□ おかげさまで。：Thanks to you. ／托您的福。／덕분에／ nhờ ơn trời

### 3ばん

Ⓕ: 図書館に まだ 本を 返して いないんですか。

Ⓜ: 1 いえ、もう 返します。
2 いえ、返しました。
3 ええ、今 返しています。

**正解：2**

ことばと表現

□ 返す：return ／还／돌려주다／ trả lại

### 4ばん

Ⓕ: きのうの 映画は どうでしたか。

Ⓜ: 1 うーん……そんなに おもしろく ありませんでした。
2 すみません、あまり よく 知らないんです。
3 はい、友だちと 見に 行きました。

**正解：1**

### 5ばん

Ⓕ: このバス、大学に行くかなあ？

Ⓜ: 1 さあ、私はわかっていません。
　　2 ええ、わかっています。
　　3 うーん、わかりません。

**正解：3**

### 6ばん

Ⓕ: 急におじゃましてすみません。

Ⓜ: 1 いえ、どうぞお上がりください。
　　2 いえいえ、じゃまじゃないです。
　　3 そうですね。それはいけませんね。

**正解：1**

#### ことばと表現

□ **じゃま**：in the way ／打撹／방해／ làm phiền

□ **おじゃまする**：人の家や、人が仕事をしているところを訪ねるときに言う。
Used when visiting someone's home or place of work.／去别人家或别人在忙的时候你去拜访打撹时说的客套语。／다른 사람의 집이나 사람이 일을 하고 있는 곳을 방문할 때 말한다／ nói khi tới nhà người khác hoặc tới khi người khác đang làm việc

□ **お上がりください。**：「家の中に入ってください。」という意味。

□ **いけない**：「よくない」という意味。

### 7ばん

Ⓜ: どうして日本へいらっしゃったんですか。

Ⓕ: 1 日本の文化を学ぶために来ました。
　　2 だから、経済を勉強しています。
　　3 もちろん、日本のアニメを見たいです。

**正解：1**

#### ことばと表現

□ **文化**：culture ／文化／문화／ văn hóa
□ **学ぶ**：learn ／学／배우다／ học
□ **～ために**：in order to ~ ／为了～／ ~ 위해서／ ~ để, vì

### 8ばん

Ⓜ: 何か質問はありますか。

Ⓕ: 1 いえ、特にありません。
　　2 えっと……まだ決めていません。
　　3 はい、何でも聞いてください。

**正解：1**

#### ことばと表現

□ **質問**：question ／提问／질문／ câu hỏi
□ **特に～ない**：no ~ in particular ／没有特別的～／특히 ~ 않다／ không đặc biệt ~ lắm

# 第2回

## もんだい1

### れい

女の人と 男の人が 話して います。男の人は、これから どこに 行きますか。

- F: ねえ、私、忙しいから、クロの 散歩に 行って きて くれない?
- M: いいよ。じゃあ、公園まで 行って くる。
- F: あ、ちょっと 待って。その 前に、スーパーで お肉を 買って きて くれる?
- M: はい、はい。じゃあ、行く 途中で 郵便局に 行こうかな。はがきを 出すから。
- F: それなら、スーパーで 出せば? ポストが あったと 思う。
- M: あ、そう。じゃあ、そうする。

男の人は、これから どこに 行きますか。

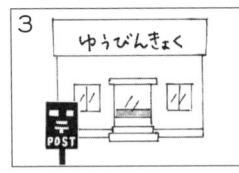

**正解：2**

### ことばと表現

- □ 寄る：approach ／順便经过、靠近／들르다／ghé vào
- □ 途中：middle ／途中／도중／ giữa đường
- □ はがきを 出す：send a postcard ／寄明信片／엽서를 보내다／ gửi bưu thiếp

### 1ばん

美容院で、女の人と 男の人が 話して います。どんな 髪に しますか。

- F: この 写真の ように 短く 切って ください。
- M: 耳が ちょっと 出る くらいですね。かなり 短いですが、大丈夫ですか。
- F: うーん、そうですね……。この 下の ほうが いいですね。
- M: わかりました。前は どうですか。これくらいで いいですか。
- F: ああ……前も、もう 少し 長い ほうが いいですね。
- M: じゃあ、この 左のが ちょうど いいですね。
- F: そうですね。

どんな 髪に しますか。

**正解：3**

### ことばと表現

- □ 前（＝前髪）：bangs ／前边的头发／앞 머리／ tóc mái

## 2ばん

店で、男の人と店員が話しています。男の人はどの携帯電話を買いますか。

Ⓜ: あのう、スマホを新しくしようと思って……。

Ⓕ: わかりました。では、こちらはいかがでしょう？写真がきれいに撮れます。

Ⓜ: うーん、ちょっと重いですね。あ、これは軽いですね。

Ⓕ: はい。サイズは変わっていませんが、10グラム軽くなったんです。

Ⓜ: へえ、そうなんですか。

Ⓕ: あと、これもおすすめです。少し高くなりますが、いろいろできて、とても便利です。

Ⓜ: そうですか。でも、そんなに便利でなくてもいいので、こっちにします。

男の人はどの携帯電話を買いますか。

1 軽いけいたいでんわ
2 サイズが大きいけいたいでんわ
3 いろいろできるけいたいでんわ
4 写真がきれいにとれるけいたいでんわ

## 正解：1

### ことばと表現

□ **おすすめ**：recommended ／推薦／권하는 것／ mặt hàng đặc biệt

□ **サイズ**：size ／尺寸／사이즈／ cỡ

□ **グラム**：gram ／克／그램／ gram

## 3ばん

動物園で、女の人が話しています。参加したい客は何をしますか。

Ⓕ: 今日はさくら動物園にお越しいただき、ありがとうございます。1時から動物園の中を係の者がご案内します。途中、動物に食べ物をやったり、さわったりすることができます。食べ物のお金は100円ですが、参加は無料です。時間は全部で1時間ぐらいです。参加する方は、動物園の入口の近くにお集まりください。ぜひ、ご家族でご参加ください。

参加したい客は何をしますか。

## 正解：4

### ことばと表現

□ **お越しいただく**：「来てくれる」の尊敬語。an honorific way to say「来てくれる」／是「来てくれる」的敬語／「来てくれる」의 존경어／ tôn kính ngữ của "来てくれる (đến)"

□ **係**：in charge ／工作人員／담당／ người phụ trách

□ **参加**：participate ／参加／참가／ sự tham gia

□ **無料**：free ／免費／무료／ miễn phí

## 4ばん

男の人と女の人が話しています。男の人はこのあとすぐ、何をしますか。

Ⓜ: そろそろ引っ越し会社の人が来るね。この箱も閉めちゃうよ。

Ⓕ: ちょっと待って。まだ何冊か入れてない本がある。

Ⓜ: どこにあるの?

Ⓕ: あそこの机の上。全部入れて。あ、パソコン、落とさないように気をつけてね。

Ⓜ: わかった。この棚のCDも一緒にいれていい?

Ⓕ: それはいい。別の箱に入れるから。

男の人はこのあとすぐ、何をしますか。

正解：4

**ことばと表現**

□ **そろそろ**：about time ／快要~了、马上要~了／슬슬／ sắp sửa

□ **箱**：box ／箱子／상자／ cái hộp

## 5ばん

バスの中で、女の人が話しています。客は、何時にどこに集まらなければなりませんか。

Ⓕ: みなさん、バスはもうすぐ美術館に着きます。10時から2時間ほど自由に見て、楽しんでください。12時にまたバスが出発しますから、10分前には駐車場に集まってください。美術館から駐車場まで歩いて5分ほどかかりますから、ご注意ください。

客は何時にどこに集まらなければなりませんか。

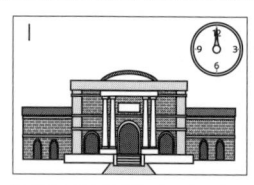

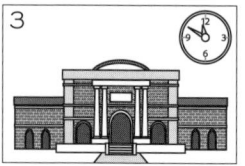

正解：4

**ことばと表現**

□ **駐車場**：parking lot ／停车场／주차장／ bãi đậu xe

□ **～ほど**：「～くらい」のていねいな言い方。

□ **ご注意ください。**：「注意してください。」のていねいな言い方。

## 6ばん

男の人と 女の人が 家具に ついて 話して います。二人は この あと、どの 家具を 買いますか。

Ⓜ: この ソファー、すごく 気持ちが いいよ。ちょっと 座って みて。
Ⓕ: いいよ。ソファーは 今、必要ないから。それより テーブルを 見ないと。
Ⓜ: あ、そうか。……これは どう? 安いよ。
Ⓕ: うーん……。でも、これ、2人しか 座れないよ。4人は 座れるのが いいな。
Ⓜ: わかった。……これは? ちょうど いいんじゃない?
Ⓕ: そうだね。値段も 安いし。あっ、でも、こっちの 丸い ほうが いいな。いすが かわいい。
Ⓜ: ちょっと 高いよ。いいの?
Ⓕ: いいよ、これぐらい。

二人は この あと、どの 家具を 買いますか。

1  2
3  4

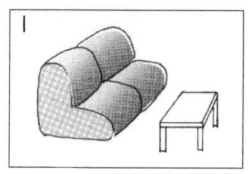

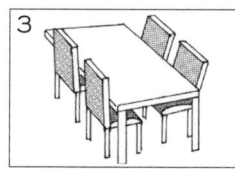

**正解：4**

ことばと表現

□ **4人は**：ここでは「少なくても 4人は〜」という 意味。

In this case, this means "four people at least."／这里表示「至少有4个人〜」的意思。／여기에서는「적어도 4 명은〜」이라는 의미．／nghĩa là "ít nhất 4 người là〜"

□ **値段**：price／价格／가격／giá cả
□ **丸い**：circular／圆／둥글다／tròn

## 7ばん

男の人と 女の人が 話して います。男の人は、何で 行きますか。

Ⓜ: すみません、約束の 11時に 遅れそうなんです。
Ⓕ: そうですか。今、どこですか。
Ⓜ: 駅前の バス停です。でも、バスが 全然 来なくて……。事故で、道が 混んでいる そうです。
Ⓕ: それなら、タクシーも だめですね。
Ⓜ: ええ。自転車を 貸して くれる ところが あれば、いいんですが……。
Ⓕ: あっ、地下鉄が ありましたよ。それで 近くまで 来て ください。
Ⓜ: えっ、そうなんですか。じゃあ、そう します。

男の人は、何で 行きますか。

1　自転車
2　タクシー
3　バス
4　電車

**正解：4**

## 8ばん

女の人と 店の 人が 話して います。女の人は、来週 何曜日に アルバイトをしますか。

Ⓜ: 田中さん、アルバイトの 日の ことなんですが……。
Ⓕ: はい。何でしょうか。
Ⓜ: 今、火曜日と 木曜日の 週2回ですよね。
Ⓕ: はい。
Ⓜ: お店が だいぶ 忙しく なったから、来週から 金曜日にも 来て くれませんか。
Ⓕ: 金曜日ですか。わかりました。
Ⓜ: 来て くれますか。よかった。それと、実は、土曜日と 日曜日の 人が 急に 来週 休みになって、来週だけ 土日も お願いしたいんです。
Ⓕ: そうですか。日曜日は 難しいですが、土曜日なら……。
Ⓜ: いいですよ、土曜日だけでも。じゃあ、お願いします。

女の人は、来週 何曜日に アルバイトをしますか。

1 火曜日と 木曜日
2 火曜日と 木曜日と 金曜日
3 火曜日と 木曜日と 金曜日と 土曜日
4 火曜日と 木曜日と 金曜日と 土曜日と 日曜日

## 正解：3

### ことばと表現

□ だいぶ：fairly ／大体上、基本上／꽤, 상당히／rất là

# もんだい2

## れい

男の人と 女の人が 話して います。男の人は、ピアノを 何年間 習いましたか。

Ⓜ: 山田さんは ピアノが 上手ですね。
Ⓕ: いえいえ。昔、ちょっと 習って いただけです。
Ⓜ: どれくらい 習って いたんですか。
Ⓕ: 小学校の 6年間と、中学が 2年までです。勉強が 忙しくなって、やめました。
Ⓜ: そうですか。
Ⓕ: 田中さんは 何か 習いましたか。
Ⓜ: ぼくも ピアノを 習って いました。小学校の 時、3年間ですが。
Ⓕ: そうですか。スポーツも 音楽も できるんですね。

男の人は、ピアノを 何年間 習いましたか。

1 2年間
2 3年間
3 6年間
4 8年間

## 正解：2

### ことばと表現

□ 昔：the past ／从前、以前／옛날／ngày xưa
□ 習う：learn ／学习／배우다／học
□ 音楽：music ／音乐／음악／âm nhạc

## 1ばん

女の人と 男の人が 話して います。女の人が 乗る バスは 何時に 出ますか。

- Ⓕ: すみません、空港へ 行く バスは 何番ですか。
- Ⓜ: 2番と 3番です。
- Ⓕ: ありがとうございます。何時に 出発しますか。
- Ⓜ: 2番の バスは 10分後に 出発で、空港まで 50分ぐらい かかります。3番の バスは 20分後で、35分で 行けます。3番の バスの ほうが ちょっと 早く 空港に 着きます。
- Ⓕ: そうですか。じゃ、3番の バスに 乗ります。

女の人が 乗る バスは 何時に 出ますか。

1　10分後
2　20分後
3　30分後
4　50分後

**正解：2**

## 2ばん

男の人と 女の人が 話して います。女の人は だれと 行きますか。

- Ⓜ: 日曜日の コンサートなんだけど、ちょっと 都合が 悪くなって、行けなくなっちゃったんだ。
- Ⓕ: えっ、そうなの!?　ジョンさんも 行けなく なったって、今朝、連絡が あったんだよ。
- Ⓜ: えっ、ジョンさんも!?　そうなんだ……。マリアさんは？
- Ⓕ: 彼女は 大丈夫。だから、二人で 行ってくるよ。

女の人は だれと 行きますか。

1　一人で
2　ジョンさんと
3　マリアさんと
4　ジョンさんとマリアさんと

**正解：3**

### ことばと表現

- □ **コンサート**：concert ／演唱会／콘서트／buổi hòa nhạc
- □ **連絡**：contact ／联系／연락／sự liên lạc

## 3ばん

図書館で、女の人が 話して います。本が 見つからない とき、何を しますか。

👩: この 図書館では 本なら 10冊まで、15日間 借りる ことが できます。もし、ほかの 人が 予約して いなかったら、さらに 2週間 借りられます。その 場合は、もう一度 図書館に 来るか、電話で 連絡して ください。本を 探す ときは、あちらの 機械が 便利です。もし 見つからない ときは、係の 者に 相談して ください。この 図書館に なかったら、ほかの 図書館から 借りたり、買ったり します。

本が 見つからない とき、何を しますか。

1 機械で 探す
2 係の 人に 言う
3 ほかの 図書館に 行く
4 本屋で 買う

### 正解：2

#### ことばと表現

□ 機械：machine／机械／기계／máy móc
□ 者：「人」の 意味。

## 4ばん

男の人と 女の人が 話して います。女の人は いつも どのくらい 練習しますか。

👨: 田中さんは ギターが 上手ですね。どのくらい して いるんですか。
👩: そうですね……もう 7、8年です。
👨: そうですか。いつも どのくらい 練習して いるんですか。
👩: 学生の ときは 時間が あったので、毎日 3時間ぐらい 練習して いました。でも、今は 1時間ぐらいです。
👨: そうですか。私も ギターが 好きですが、そんなに 練習を して いません。しても、30分ぐらいです。

女の人は いつも どのくらい 練習しますか。

1 30分
2 1時間
3 2時間
4 3時間

### 正解：2

## 5ばん

学生が、先生の留守番電話にメッセージを入れています。学生はどうして謝っていますか。

F：あ、もしもし。Bクラスのマリアです。あのう、昨日お願いしたレポートのご相談についてです。月曜日に予定が入ってしまったので、別の日にお願いしたいと思ってお電話しました。お忙しいのに、本当に申し訳ありません。またお電話します。失礼します。

学生はどうして謝っていますか。

1　レポートが遅れるから
2　また電話をかけるから
3　先生と約束した日を変えたいから
4　先生が忙しいのに電話をかけたから

## 正解：3

### ことばと表現

□ 留守番電話：answering machine／留言电话／자동응답전환／chế độ trả lời tự động trên điện thoại

□ 本当に：truly／真／정말로／thực sự là

□ 申し訳ありません。：謝るときに言うていねいな表現。A polite phrase used when apologizing.／道歉时说的客套话。／사과할 때 말하는 정중한 표현／từ lịch sự nói khi xin lỗi

## 6ばん

男の学生と女の学生が話しています。女の学生は、国にいるとき、何を勉強していましたか。

M：マリアさんは大学で何を研究していますか。
F：日本の文化について勉強しています。ジョンさんは？
M：私は医学を勉強しています。
F：すごいですね。いつから医者になりたいと思いましたか。
M：高校生の時です。子どもの時は小説家になりたかったんですが……。
F：へえ。私は自分で会社を持ちたいと思っていました。だから、大学で経済を勉強していましたが、日本へ来てから日本の文化に興味を持ちました。
M：私も興味があります。今度教えてくださいね。

女の学生は、国にいるとき、何を勉強していましたか。

1　医学
2　経済
3　日本の文化
4　日本の小説

## 正解：2

### ことばと表現

□ 医学：medicine／医学／의학／y học
□ 小説家：novelist／小说家／소설가／tiểu thuyết gia

47

## 7ばん

男の 学生と 女の 学生が 話して います。男の 学生は、昨日何を して いましたか。

Ⓜ：昨日の 雷、すごかったですね。大丈夫でしたか。
Ⓕ：ええ、パソコンで レポートを 書いて いましたが、心配に なったので やめました。
Ⓜ：パソコンが おかしく なる ことが あるそうですね。
Ⓕ：ジョンさんも 雷の とき、レポートを 書いて いましたか。
Ⓜ：いえ、私は すごく 疲れて いたので、ベッドで 寝て いました。だから、まだ 終わって いません。
Ⓕ：そうですか。授業が 終わった 後、図書館へ 行きますが、一緒に どうですか。
Ⓜ：いいですね。そうしましょう。

男の 学生は、昨日 何を して いましたか。

1 パソコンを 直して いた
2 レポートを 書いて いた
3 ベッドで 寝て いた
4 図書館で 勉強して いた

### 正解：3

**ことばと表現**

□ 雷：thunderbolt ／雷／천둥／ tiếng sét
□ おかしい：strange, not right ／奇怪／이상하다, 웃기다／ bất thường

## もんだい3

### れい

急に 雨が 降って 困りました。何と 言いますか。

Ⓜ：1 雨が 降って くれました。
　　2 雨は 降って しまいました。
　　3 雨に 降られました。

### 正解：3

**ことばと表現**

□ 困る：worry ／为难／곤란하다／ gặp khó khăn

### 1ばん

教科書を 忘れました。となりの 人と 一緒に 見たいです。何と 言いますか。

Ⓜ：1 さあ、一緒に 教科書を 見ませんか。
　　2 ちょっと、その 教科書を 見たいんですが……。
　　3 あのう、教科書を 見せて くれませんか。

### 正解：3

## 2ばん

女の人が 話して います。早くて よく わかりませんでした。何と 言いますか。

Ⓜ：1　早すぎて、困るんですが。
　　2　もう一回 お願いします。
　　3　ちょっと 遅く 話して くれませんか。

正解：2

## 3ばん

駅で 気分が 悪く なりました。近くに いる 人に 何と 言いますか。

Ⓕ：1　すみません、駅員を 呼んで もらえませんか。
　　2　すみません、駅員の 手伝いを お願いします。
　　3　すみません、駅員に 助けて もらって ください。

正解：1

ことばと表現

□ 呼ぶ：call ／叫／부르다／ gọi
□ 助ける：save ／帮助／돕다／ giúp đỡ

## 4ばん

友だちに パーティーの 準備を 手伝って もらいます。何と 言いますか。

Ⓜ：1　ケーキを 買って しまって ください。
　　2　ケーキを 買って あげて ください。
　　3　ケーキを 買って おいて ください。

正解：3

ことばと表現

□ 準備：preparations ／准备／준비／ sự chuẩn bị

## 5ばん

みんなで 昼ご飯を 食べて いますが、一人の 友だちが 何も 食べません。何と 言いますか。

Ⓕ：1　もう少し 食べなさい。
　　2　少し 食べた ほうが いいですよ。
　　3　食べれば 食べるほど おいしいです。

正解：2

# もんだい4

### れい

Ⓜ: そろそろ 失礼します。

Ⓕ: 1 あ、そろそろ 失礼ですね。
　　2 また、いらっしゃって くださいね。
　　3 そうですね。お待たせしました。

**正解：2**

**ことばと表現**

□ 失礼します。：帰る ときに 言う ていねいな 表現。
A polite phrase used when leaving. ／回去时说的客套语。／돌아 갈 때 말하는 정중한 표현／câu lịch sự nói khi ra về

### 1ばん

Ⓜ: 今晩、うちへ いらっしゃいませんか。

Ⓕ: 1 ええ、ぜひ。
　　2 ええ、いますよ。
　　3 ええ、いらっしゃいません。

**正解：1**

### 2ばん

Ⓕ: 牛乳、買って おいて くれる？

Ⓜ: 1 うん、おいたよ。
　　2 うん、買ったよ。
　　3 うん、いいよ。

**正解：3**

### 3ばん

Ⓕ: エアコンを つけても よろしいでしょうか。

Ⓜ: 1 ええ、どうぞ。
　　2 はい、わかりました。
　　3 いいえ、けっこうです。

**正解：1**

**ことばと表現**

□ よろしいですか：「いいですか」のていねいな 言い方。
□ けっこうです。：ここでは「その 必要は ない」という 意味で、断る ときに 言う。
Used in this case to mean "there is no need," and used to decline an offer. ／在这里表示「没那个必要」，用于推辞时说的惯用句。／여기에서는「그 필요는 없다」라는 의미로 거절할 때 사용한다．／nói khi từ chối, với ý nghĩa là "không cần"

### 4ばん

Ⓕ: どうして 宿題を して こなかったんですか。

Ⓜ: 1 はい、そうすれば よかったです。
　　2 すみません、よく わかりません。
　　3 すみません、時間が なくて。

**正解：3**

## 5ばん

F: すみません、注文を お願いします。

M: 1 はい、少々 お待ちください。
　　2 いいえ、どういたしまして。
　　3 はい、こちらへ どうぞ。

**正解：1**

## 6ばん

F: 新しいのを 買ったら どう？

M: 1 でも、まだ 使えるよ。
　　2 うん、買ったら いいね。
　　3 いや、新しくないよ。

**正解：1**

**ことばと表現**

□ 〜たら どう？：〜たら どうですか。
why not try ~./要是〜怎么样？／〜하면 어떻습니까
／nếu ~ thì sao?

## 7ばん

F: 富士山に 登った ことが ありますか。

M: 1 いいえ、登りません。
　　2 ええ、ありますよ。
　　3 はい、まだありません。

**正解：2**

## 8ばん

F: あの着物を 着て いるのは どなたですか。

M: 1 きれいな 着物ですね。
　　2 田中さんの 奥さんですよ。
　　3 左から 3番目の 方です。

**正解：2**

**ことばと表現**

□ どなた：「誰」の ていねいな 言い方。
□ 方：「人」の ていねいな 言い方。